『運命の子』

スカールは、疲れた馬をかりたて、思いきり、群衆の頭の上を、飛び越えさせたのだ！（17ページ参照）

ハヤカワ文庫JA

〈JA971〉

グイン・サーガ⑫⑨

運命の子

栗本 薫

早川書房

6553

THE CHILD CHOSEN

by

Kaoru Kurimoto

2009

カバー／口絵／挿絵

丹野　忍

目次

〔草原地方 - 沿海州〕

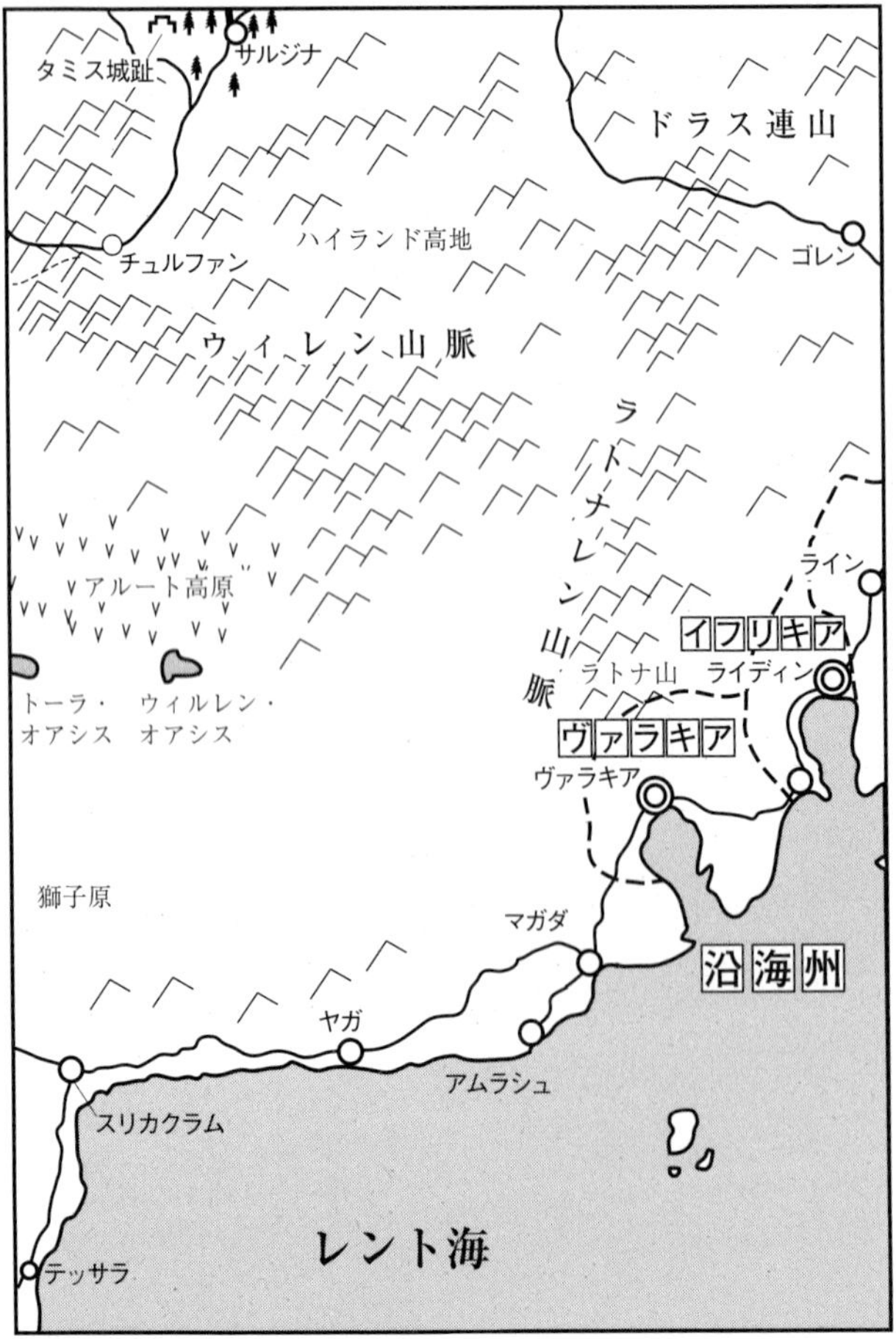
タミス城趾
サルジナ
ドラス連山
ハイランド高地
チュルファン
ゴレン
ウィレン山脈
ラトナレン山脈
ライン
アルート高原
イフリキア
ライディン
ラトナ山
トーラ・オアシス
ウィルレン・オアシス
ヴァラキア
ヴァラキア
獅子原
マガダ
沿海州
ヤガ
アムラシュ
スリカクラム
レント海
テッサラ

〔草原地方〕

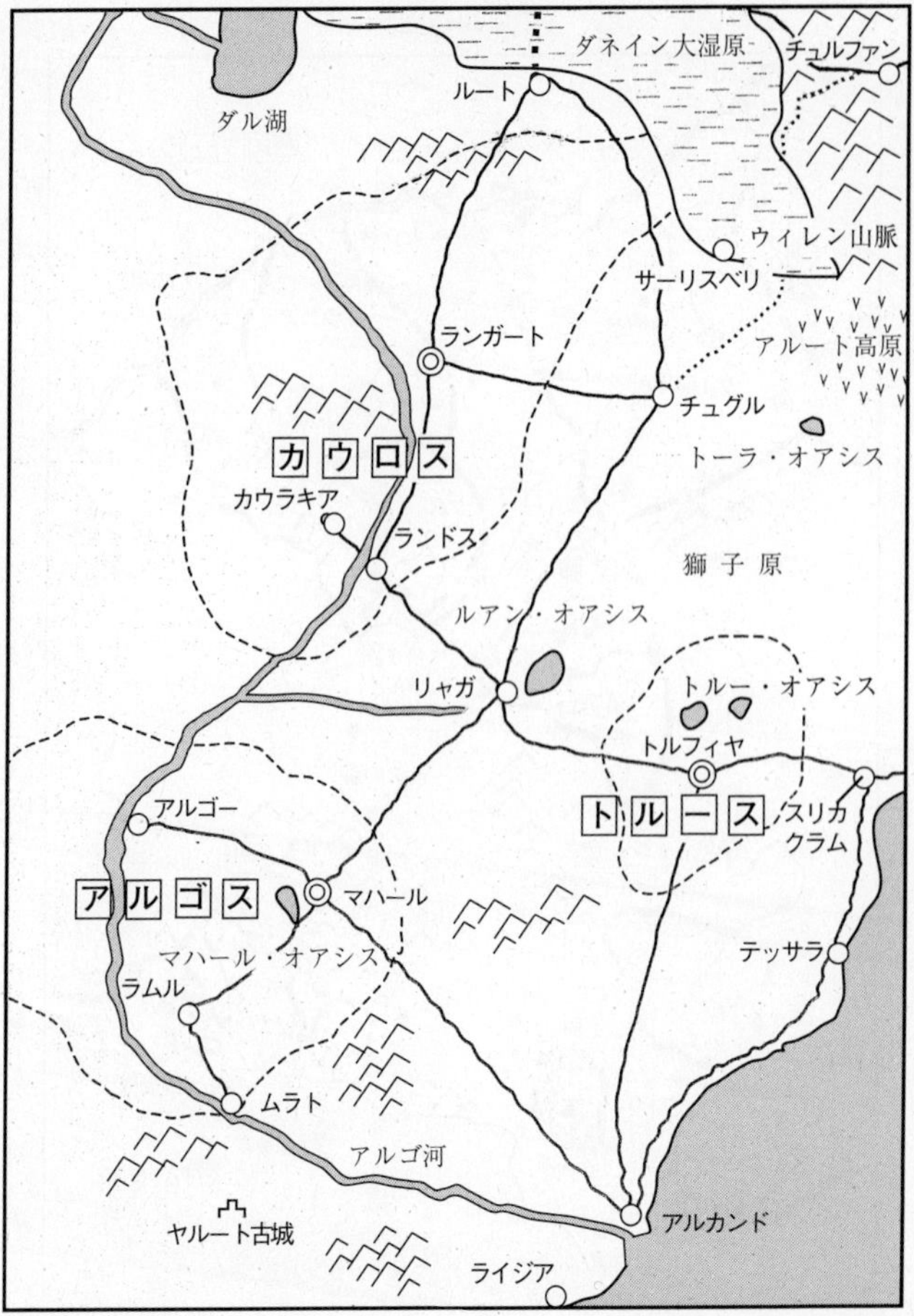
ダネイン大湿原
チュルファン
ルート
ダル湖
ウィレン山脈
サーリスベリ
ランガート
アルート高原
チュグル
トーラ・オアシス
カウロス
カウラキア
ランドス
獅子原
ルアン・オアシス
リャガ
トルー・オアシス
トルフィヤ
トルース
スリカクラム
アルゴー
アルゴス
マハール
マハール・オアシス
テッサラ
ラムル
ムラト
アルゴ河
ヤルート古城
アルカンド
ライジア

〔中原周辺図〕

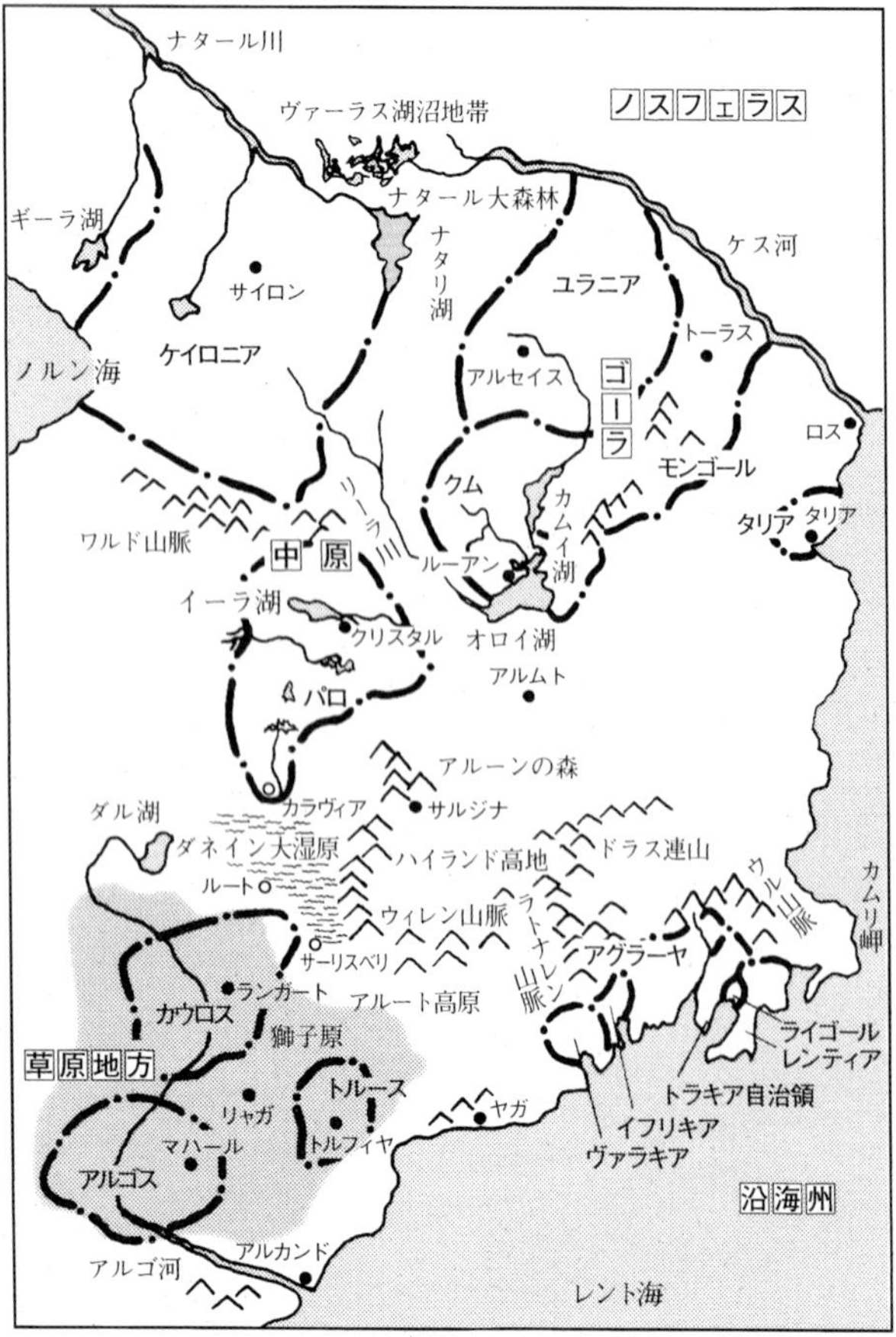
ナタール川
ノスフェラス
ヴァーラス湖沼地帯
ナタール大森林
ギーラ湖
ナタリ湖
ケス河
サイロン
ユラニア
ノルン海
ケイロニア
トーラス
アルセイス
ゴーラ
ロス
モンゴール
クム
リーラ川
カムイ湖
タリア
タリア
ワルド山脈
中原
ルーアン
イーラ湖
クリスタル
オロイ湖
アルムト
パロ
アルーンの森
カラヴィア
サルジナ
ダル湖
ダネイン大湿原
ドラス連山
ハイランド高地
ウル山脈
カムリ岬
ルート
ラトナレン山脈
ウィレン山脈
サーリスベリ
アグラーヤ
ランガート
アルート高原
カウロス
獅子原
ライゴール
レンティア
草原地方
トルース
トラキア自治領
リャガ
ヤガ
イフリキア
マハール
トルフィヤ
ヴァラキア
アルゴス
沿海州
アルカンド
アルゴ河
レント海

運命の子

登場人物

ヨナ……………………………パロ王立学問所の主任教授
スカール……………………アルゴスの黒太子
サリウ………………………下級魔道師
フロリー……………………アムネリスの元侍女
スーティ……………………フロリーの息子
ブラン………………………ドライドン騎士団副団長
イオ・ハイオン…………ヤガの商人
ジャミーラ…………………ミロクの使い姫
グラチウス………………〈闇の司祭〉と呼ばれる三大魔道師の一人
イェライシャ……………白魔道師。〈ドールに追われる男〉

第一話　黒き聖姫

1

風が、ヨナの耳もとで、びゅうびゅうと唸っていた。

町なかのヤガには、草原のあの強い風も、ノスフェラスの風も――そしてまた、山岳地方や沿海州の特有の風も吹いてはいないのだから、それはひたすら、疾駆するスカールの馬が巻き起こしている風にほかならなかった。

スカールも緊張しているらしく、激しい息づかいがヨナの耳をうつ。ヨナ自身は、はっとおのれがしばらく息をしていなかったことに気付いてあわててふうっと深い息を吸いこまなくてはならぬくらい、無我夢中で、何がなんだかわからなかった。

スカールがどちらにむかって馬を走らせているのかもわからない。いまでは、うしろから、「ヨナ博士！　ヨナ博士！」と呼んでいる声も、ヨナにもはっきりときこえるようになってきていたし、入り乱れるひづめの音も聞こえていたが、そちらをふりむく気にはなれず、ヨナはひたすら鞍の前に、馬のたてがみにしがみつくようにして身をふせていた。

馬に乗る方法はずいぶんとこの騎馬の民との旅のあいだに鍛えられたものの、このような曲乗りのようなことはまったくしたことがない。

そもそもがもともと、筋力にも運動神経にも自信などない、軟弱な学究として過ごしてきたのだ。突然にこのような大活劇に巻き込まれて、どうしたらいいかもわからず、ひたすらスカールだけを頼りに馬にしがみついているばかりだが、馬もたかぶっているらしく、ときどき無茶苦茶に首を振るので、そうなるとそのまま振り落とされてしまいそうで、恐ろしくて仕方がなかった。

「いいか、しっかりつかまっていろよ。うしろからも俺が押さえてやっているから、大丈夫だからな！　怯えて変にもがくのが一番危い。下は石畳だ、打ち所が悪ければ大怪我をするからな」

スカールに注意されたのも、いっそう恐怖心をあおっている。

そのあいだもスカールのほうは何のためらいもなく、黒いマントをひるがえし、まさにいまこそ騎馬の民の本領発揮、といった生き生きとしたようすで馬を川沿いにそって走らせてゆく。ヤガの裏通りは何本かの大きな川や小さな川に必ずはさまれていて、川ぞいには、木々が植えられており、建物の一階は小さな店になっていたり、集会所らしいものになっていたりする。そろそろ、人も出てくるころあいで、すごい勢いでひたすら駆け抜けてゆくスカールたちの馬を、出てきて呆れたように口をあいて見送っている
ものたちも珍しくなかった。

「畜生、なかなかしつこいな！」

スカールはつぶやくと、ぐいと馬の手綱をひき、向きをかえさせた。そのまま川縁を
はなれ、人通りの少ない、ヤガの裏町、下町のほうへとさらに馬を走らせてゆく。道が
だんだん細くなるとみえて、またふいに太くなる。道の両側に、かごに山と積んだ乾果
だの、これから店に出すのだろう反物だのが積まれていて、細い道がいっそう細くなっ
ている。

そろそろ、人々は動きだそうとしているところとみえて、裏町のそれらの小さな店々
にも、その前にもひとが三々五々出てきている。そうして、その日のたつきをはじめよ
うとするやさきを、いきなり鼻先を突っ切ってすごい勢いで駈けてゆくスカールの馬を
見て、あわてて飛び退こうとするもの、よたよたして反物の山に突き当たってしまうも
の、悲鳴をあげて店に飛び込むもの――なかなかの騒ぎをスカールは引き起こしている
ようだった。これでは、どこにいっても、目立って、その行き先をみずからあかしてい
るようなものだ、とも思える。

だが、スカールはいっこうにかまわなかった。そのようなことを気にかけているいと

まもない、といわぬばかりに、行く先々にまきおこるニワトリのけたたましい悲鳴、婆さんの金切り声や爺さんの怒声、がらがらと商品が崩れ落ちる音などをうしろにして、どんどん馬を走らせてゆく。その狭い通りを突っ切ると、こんどは巡礼たちがのろのろとうつむきながら、ミロクの真言を唱えながら道の両端を歩いている、やや広い通りに出た。ミロク大神殿からははなれるように走ってきているはずだ。おそらく、それは大神殿ではなく何かもうちょっと小さな集会所に集まろうとしている巡礼なのだろう。だが、これはなかなか手ごわかった。

「どけ! 急いでるのだ。ちょっと場所をあけろ!」

スカールは遠慮えしゃくなく怒鳴った。

ミロク教徒のあいだでは、そのようにして大声をあげてひとをおしのけたり、どけさせたりすることなど、まずありえないとされている。それはとても失礼な行動だし、ミロクの教えにもまっこうからそむくことだ。

巡礼たちはあわてふためいてまず右往左往して馬をよけ、それから怒鳴られたことに気付くと信じがたい目にあったようにスカールたちをにらんだ。だが、スカールのようすのなかに何か険しい、殺気のようなものを感じるのか、あえて怒鳴り返してこようとするものはいない。また、ミロク教徒は、怒鳴られても怒鳴り返す、というような風習はないのだ。

だが、邪魔であることは、かえって普通の烏合の衆よりいちだんと邪魔に違いなかった。のろのろと、いったんまるでとろけたアメの海かなにかがおしわけられたように左右にわけられた黒一色の群衆は、そのままた、時間をかけて、ゆるゆるとまんなかにむかって戻ってくる。そうなる前にそこを突破しようと、スカールは必死に馬にムチをあてる。

「どけ！　通せ、通してくれ！」

だが、うしろのほうからも、かなり距離をおいてではあったが、ひづめの音が迫ってきたばかりか、「はらからよ、その馬を通すな！　それは《宗敵》なるぞ！」というかすかな声が聞こえてきたのをきいて、ヨナは青ざめた。

（《宗敵》……）

そういわれて、どっとこの巡礼の群衆たちが全員でかれらを取り囲んだら、馬で切り抜けるすべなど、ありようはずもない。

「ヨナ！　一瞬、死んだ気持でしがみついてろ！」

いきなり、スカールが、ヨナの背中にからだをふせるようにして、大柄なからだでヨナを鞍におしふせ、包み込むようにした。と思うと、ぐいと手綱をひきしぼり、スカールは、一気に、もうはあはあとかなり荒い息づかいをしている疲れた馬をかりたて、思いきり、群衆の頭の上を、飛び越えさせたのだ！

「わッ！」

思わずヨナは目をつぶった。何人かの群衆をつぶしてしまったのではないか、と思うくらいだったが、さすがにミロクの巡礼たちとはいえ、死にたくはないとみえて、あわてて道をよけたので、馬は無事に、ひとのいないわずかばかりの場所に着地した。そのまま、よろめきながらさらに走り出す。スカールはその通りを見捨ててさらに裏通りに曲がりこんでいったが、途中で、ふいに、馬がアワを吹きながら速度をゆるめた。

「もう、限界かな」

スカールはつぶやいた。

「ちょっとばかり、可哀想なくらい走らせたからな。仕方ない。馬を捨てるぞ。ヨナ、降りろ」

スカールの決断はつねに早く、一瞬だ。そして、何ひとつ、相談したり、説明したりせぬ。

そのまま、鞍から、ヨナをかかえおろすようにしながらおのれも飛び降りると、スカールは、馬の汗だくの尻をぽんと叩いてやった。

「よく働いてくれたな。よし、主人のもとへ帰れ」

いうなり、もう馬には見向きもせぬ。

「このあとまたどこかで馬を手にいれるまで、走るぞ。なるべくゆっくり息をして、あまり無理をせずに俺についてこい。多少は手加減してやるが――たぶん、このままだと斬り合いになるからな」

「き、き、斬り合いはミロク教徒にはありえないはずです」

ヨナは息を弾ませていたが、思わずそう叫ばずにはいられなかった。

「ああ、これまではな。だが、これからはどうなるかわからん」

馬はよろめきながら、ゆっくりと通りのむこうへ戻ってゆく。急に背中の重荷から解放されて、調子が狂っているようでもある。

それを見送ることもなく、スカールはヨナの手首をつかみ、また走り出した。今度は、一見まるきりあてずっぽうに走っているかのように、狭い建物と建物のあいだの路地に飛び込み、そこをぬけて、巡礼たちがばらばらと歩いている通りに出るとそこをしばらく目立たぬよう走らずに急ぎ足で歩き、それからまた、ここぞと思ったらしい路地に飛び込んでゆく。もう、いまや、ヨナには、自分がどこをどう引き回されているのかまるきり見当も付かなかった。

ただ、はあはあと肩で息をしながら、スカールに引き回されるままに走っているばかりである。だが、意外と、馬を捨てて、徒歩になったのが、効果があったようだった。迷路のようなヤガの下町を、ぐるぐるとかけまわったのだから、追手のほうもついつい見失ってしまったのだろう。少なくとも、もう、さきほどのようにひっきりなしにうしろから「ヨナ博士！　ヨナ博士！」という声が追ってくることはなくなっていた。ヨナは少しほっとした。

スカールも、少しはこれで余裕が出来た、とみたらしい。ようやく、ヨナの細い手首を握り締めていた手をゆるめ、足をとめた。

「これはすまぬ。つい、気が急くもので、力加減を忘れてしまったな。アザになっている。すまん」

ヨナの手首をみて、困ったように云う。ヨナの手首には、スカールの強い力でつかまれて、赤く指のあとがついていた。

「いえ、こんなくらいのこと……」

「あの場で巡礼ども——それともそれに見せかけた化け物どもに囲まれようものなら、それこそ七里結界だと思ってな。さしもの俺もなかなかに焦っていたらしい。——ところで、ここはどのあたりだ」

スカールはあたりを見回した。

もとより、ヨナにはもう、かいもく見当もつかぬ。まだヤガの下町であるには違いない、とかろうじて思える程度だ。だがスカールは、うちぶところから折り畳んだ羊皮紙を取り出すと、それを拡げた。それはいったいいつのまに手に入れたのか、ヤガの町の地図であった。

「そう、やみくもに走ったつもりはなく、一応ヤガを抜け出す方向へむけて――それも草原の方向へ抜け出すようにと、北にむけて走ったつもりだったのだが」

地図を眺め、あたりのようすを見回しながら、スカールは云う。

このあたりはさっきスカールが馬で人々の頭上を飛び越えたあたりより、だいぶんさびれた、もうヤガの町のはずれに近い一画のように思われた。建物もそれほど密集しておらず、また、小さな家々――それもだいぶ古いものが肩をよせあうようにして並んでいる、狭い道が何本か続いているあたりで、大きな建物はあまり見あたらない。

「あちらの屋根の向こうに、ちらりと見えるのが、ミロク大神殿の屋根のように俺には思える」

つと道路のかたわらの縁石にのぼって、のびあがって見ながらスカールは云った。

「あちらが大神殿だとすると、うん、間違いない。だいたいうまいところ北のほうへ逃げてきたことになるぞ。もうあとちょっとで部下どもと合流出来る。そうすればもう何も心配ない――とまでは言い切れぬが、かなり確率的には高くなるだろう。――どうした、かなり、乱暴に取り扱ってしまったか。呼吸が苦しいか。青い顔をしているぞ」

「情けないことで、申し訳ありません」

ヨナは苦笑した。

「このようなあらごとには、およそ向いておらぬものでございますから、さぞかしお邪魔で、お荷物だと思います。が、息が多少切れているくらいで……まだなんとか走れます」

「その向うっ気の強さがよいな。お前はなかなか見かけによらず、向うっ気が強くてよい」

スカールは褒めた。そのあいだにも、地図とあたりを照らし合わせるのに余念がない。

「ふむむ……だいたい、地理は多少はわかってきたようだが……」

「あの……」

ヨナはためらった。

ずっと、言い出したかったけれども、これほどの大騒ぎのなかで、口にするのははばかられたのだ。だが、重大なことでもあったし、いまならば云えると思った。

「どうした」

「このまま、ヤガを脱出することになるわけなのでしょうか。それは、むろん私はかまわないのですが——あの、例の……フロリー親子のことが気に懸かります……」

ヨナの声は、誰かにどこかから忍び聞かれることをおそれるかのように、小さくなった。

あたりは、ひっそりとした、汚い古い石垣が並んで、そのむこうに集団住宅かと思われる古い家々が並んでいる、あまりひとけのない町並みである。時間的にもそれほど人通りの多い時間帯ではないのか、細くて汚い通りを歩いてくるものもさほどいない。このあたりは、店屋のたぐいも少なく、貧しいものたちがひっそりと小屋がけに毛のはえた程度の家々を並べて住んでいる古い町並みのようだった。ところどころに、しょびしょびといかにもみじめっぽい、あまり栄養のゆきとどいていない柳の木が生えている。小さな井戸が家々のあいだの小さな広場ともいえぬような広場にもうけられている。汚い犬が一匹、その井戸のまわりをうろうろとうろついているくらいで、人影はない。

「ああ」

スカールは気難しげな声をたてた。

「それはな……」

「もう、あのラブ・サンとマリエ親子が完全に《かれら》――敵に取り込まれてしまったのはよくわかりました。もう、かれらは駄目だと思います。――どうあっても、かれらを救い出して、パロに連れ帰るなどということは、もはや考えられませんし、まったくムダだろうと思います――薄情かもしれませんが……」

「なにが薄情なものか。それが当然だ。たぶんあの連中は俺のちらりと見たかぎりでももう、完全に例の《新しきミロク》どもに洗脳されきっている。まるで機械仕掛けの人形のような目になっていたではないか」

「それを思うと胸がいたむのですが」

ヨナは口早に云った。

「それでもまあ、かれら自身が選んだことかなと思いますし——しかし、もう一方のほうは、また違う問題で……」

「それはそうだ。——きゃつの子、だったな」

スカールの目が、一瞬ぎらりと厳しく光った。

「それだけでも、中原にかなりの波乱を呼ぶかもしれぬし——それに、それを知られれば……《新ミロク》教団の幹部どもがそれをたくみに利用してやろう、というような悪心をおこすかもしれぬ。確かに、お前がなんとかせねばならぬと思うのは当然だろう」

「この上に、さらに幼い子供と足弱の女性を連れてでは、ほとんど——ヤガを脱出することなど、不可能に近くなってしまうのではないかと心配なのですが、しかし……」

「しかし、連れ出さぬわけにもゆくまいし、その親子が自分たちで脱出出来るという可能性はまずない。それに、いまのところは幸いにして、かれらは、何者であるかということは知られていない、よって新ミロクどもには目をつけられていないようだとお前はいっていたな」

「きのうまでは——そうだったと思います。が、なんだか、もしかするともう、かれらは何もかも知っているのかもしれない、というような恐怖心も感じますが……あの魔道師のことを考えると……」

「あの魔道師は、かなりのバカだ」

あっさりとスカールは切って捨てた。

「魔道師にもああいうバカがいるのだな。こんなところで、やみくもに魔道を使い倒したら、それこそ、それまで気付いてなかった連中までも、ヤガに魔道師が入り込んでいるぞ、と気付かせるためにやっているようなものだ。——俺は最初から、あの魔道師のおかげでろくなことにならんぞと思っていた。——が、いま、どこまで知られているのかを勘ぐっていてもはじまらぬ。ともかくその親子は連れ出さなくてはならぬのなら、連れ出すまでだ」

「はい……」

「この地図で見て、お前は、その親子の住んでいる場所がなんとかわかるか？　このしるしのついているところが、ミロク大神殿だ。そして、この赤くしるしのしてあるところがイオ・ハイオンの館だ。——ここからなんとなく、方向だけでもいい。お前が行ったその女の小店というのの場所がわかるか」

「はい……」

ヨナは真剣な顔になって、熱心にその地図をのぞきこんだ。急がなくては——一刻も早くヤガを脱出しなくては、二度と抜け出せなくなってしまうかもしれぬ、という恐怖心にかりたてられて、なおのこと、真剣な目つきになっていた。

「ミロク大神殿のわりと近くであったのは確かです。——しかし、こちら側でなく、南側だったと思います。大神殿にもうでてから、イオの家に戻ろうとしながらうろうろしていましたから——南ヤガラ通りを目指していたときに、大神殿の裏側の、古い店や家ばかりが密集している、このへんよりはもうちょっと何ですけれどもやはり貧しげな通りがあって……そこには沢山の茶店やみやげもの店が並んでいたのですが、表通りのそれとはまったく違う小店ばかりで——そのあたりに、ひっそりと小さな店をかまえていたと思います。地図でいうとたぶん——このあたりでしょうか……」

ヨナの指さしたあたりをみて、スカールは苦笑した。

「まさに、我々が苦心惨憺して逃げ出してきたそのあたりということだな」

ごつい肩をすくめる。

「よし、わかった。だが、ともかく、連れ出せぬまでも警告だけでもしておかなくてはならぬのは本当のことだ。そうである以上、四の五のいっていることはない。が、おぬしがいると、俺の行動にとっては何かとさまたげになる」

「は、はい……申し訳ございません」

「もうちょっと、北へゆく。なんとか無事に、俺の待たせてある部の民と合流し、おぬしをそれらに預ける。いったん、ヤガを抜け出せるものなら、なるべく遠くへ抜け出してしまったほうがいい。そして、俺は数人の頼りになる仲間だけをつれて、またヤガに戻り……」

「ええッ」

ヨナは息を呑んだ。

「そ、それはあまりに危険では……もう、とっくに、ヤガでは戒厳令とは云いませんが、私たちを探すための人数が出回っていると思います」

「そんなことはわかっている」

こともなげにスカールは答えた。

「だが、彼女らを助け出さねばならぬのだろう。だから、連れ出してくるまでだ。おそらく、ここにこのまま置いておくとかなりの確率で素性が知れて、そうなればどうなるか知れたものではない——ことにその子供がそういう子供だということが知れてしまえば、それはゴーラへのかっこうの交渉材料にもなろうし——ゴーラに食い込むための手だてにもなろうからな。俺が壁にはりついてこっそりと聞いていたところでは、イオたち幹部がお前を手にいれようとしているのは、お前をおのれの手先に洗脳してパロに戻し、そしてパロを新ミロクの国家にじわじわとかえていってやろうという、そのようなたくらみがあるとしか思えぬ。ひとつの国家に対してそういうたくらみがあるなら、同じような有効な手だてがあったら、ほかの国家にも同じような陰謀をたくらむだろう。——それを考えれば、べつだんゴーラを助けてやるいわれは俺にはないどころか、俺はむしろゴーラが滅亡するほうが望ましいが、それが、新ミロクの国として再生するというのは——さらに望ましくない。心配するな、無茶はせぬし、そのような冒険行には俺は馴れっこだ。無事にその親子を救い出してきて、お前のもとに連れてきてやるさ。そのあと、その親子がどうしたいかについては俺は知らぬ。が、きゃつの——俺の怨敵の血をひいているからといって、子供には罪はない。そんな、陰謀に巻き込まれるのをそのままに見過ごすわけにもゆくまい」

「は……」

ヨナは思わず、スカールに深く頭をさげた。

「有難うございます……」

「お前の子ではあるまいし、お前に礼をいわれるスジもないぞ」

というのが、スカールの身もフタもない答えであった。

「さあ、もう、少しは休めただろう。もうちょっと、走ってもらうぞ。とにかく、俺が心配しているのは、ヤガの市内を出るときにどのような非常線が実はひそかに敷かれているかもしれぬ、ということだ。俺の部下は、ヤガの市内にはあえて入れないで、市外すぐのところに伏せてある。市内に入れたらひと目で草原の人間だとわかってしまうような——どう工夫して変装させても、とうてい巡礼にも魔道師にも見えぬような連中だからな。そのかわり、役に立つ——きゃつらがお前を守っていれば、俺も安心だ。さあ、来い」

「はい」

ヨナはあわてて立ち上がった。

ほんの少しのあいだだったが、縁石に腰をかけて休んでいたので、呼吸も多少はととのってきていた。

(なんという大騒ぎになったことだろう……)

ヨナは身繕いをし、そしてあらためて、とっとといかにも方向も確信ありげに足早に歩き出すスカールのあとを追いながら、なんとなく茫然と考えていた。

(この私の身の上に、こんなことがおこるとは……)

自分などは、もっともそういう、活劇などからは縁遠かったはずだ。

もっとも、オラス団のあの凄惨な全滅の現場を生き延びて以来、ヨナのなかにも、かなりの心境の変化は起きてはいた。アムブラの反乱でも、パロの内乱でも——骨肉相食むナリスとレムスとの争いのあいだでも、失うことのなかったミロクの信念を揺るがすほどの、それは変化ではあった。

(なんだか、悪夢のなかに入ってそれぎり目がさめられないようだと思っていたけれども……)

もしかすると、もともと、この世とは、そのような、悪夢のちまただったのかもしれぬ、とさえ思われてくる。

「おい」

スカールが、振り向いてとがめた。

「何を考えこんでいる。まだ、すっかり安全なところに逃げ延びたわけではないのだ。まだもうちょっと、先を急がなくてはならん。かえってこのあたりでやみくもに走ったら目立つから、もう、走りはせんがな。――もうちょっと、早く歩けんか。それとも、さっき疲れてしまって、どうにも足が動かぬというのなら、おんぶでもしてやろうか」

「と、とんでもない。歩けます。歩けます。申し訳ありません。つい、物思いにふけってしまっておりました」

「学者などというものは……」

スカールは一瞬、文句を言いたそうだったが、そのまま、肩をすくめて、また背中をむけた。

ヨナはその広い、黒いマントに包まれたたくましい背中を見失わぬよう、必死に足を速めた。まわりの町並みはしんと静まりかえっており、人影もほとんど見あたらぬのが、いまとなっては、かえって不気味な感じであった。

2

　幸いにして、かれらはいったん本当に追手をまくことが出来たのであったらしい。ヨナの名前を呼びつつ追いかけてくるものもなく、かれらのゆくてをさえぎるものもなく、かれらはスカールの誘導するとおりに、しだいにヤガの市中を出て、郊外へと向かう道に入っていった。

　そのあたりにくると、雰囲気が、何かヤガ市中の、ことにかれらがずっと過ごしていたおもだったあたりとは、全然違っていることが、なんとなく、ただ道を歩いている人々を見てさえ感じられた。どことなく、空気そのものがのどやかであるようであったし、また、そのあたりのいくつかある店にたむろしている人々も、商売をしている人々も、また、歩いている巡礼も、ヨナにとっては、なんとなく見覚えのある――というよりも、親しみのある、「昔から知っている、昔どおりのミロク教徒」ばかりであるように思われた。

　ヨナがそうささやくと、スカールはかるく首をふった。

「確かに俺もそのような感じはするが、しかし、もしかしたら、それまでもが、たくみに作り上げられた、きゃつらのワナかもしれぬのだからな。まだまだ、完全にヤガ圏内を抜けるまでは、油断は大敵だ」

「それは、まさにそのとおりであろうと思いますが……」

だが、ヨナは、まだヤガのなかにも、完全にあの《新しきミロク》の教えとやらに毒されてしまっていない、昔ながらのミロク教徒たちが残っているのだ、ということを感じて、ずいぶんとほっとする思いだった。むしろ、そう思いたかったのかも知れない。《新しきミロク》に洗脳された人びとは、イオ・ハイオンにせよ、ラブ・サン老人とマリエにせよ、ヨナには、恐しく異質だった。

(異質というよりも……なんとなく、あの――アモンにとりつかれたクリスタル宮廷を連想させるものがある……)

どこがどうというのではない。むろん、《新しきミロク》を奉じるものたちは、べつだん鳥の頭や犬の頭にされてしまっているわけでもなければ、気がふれたような行動をとるわけでもなかったが、それでいて、その感じさせる《異質さ》は、かえってヨナにとっては、あのクリスタル宮廷の貴族たちよりもずっと不気味なものがあった。

(人間のことば――同じことばを話していながら、まったく通じなくなってしまって、もうどうにも、心を通わせるすべさえもなくなってしまっているかのようだ……)

特に、イオ・ハイオンの狂信ぶりが、ヨナの心胆を寒からしめていた。イオは明らかに、《新しきミロク》の教団の幹部、とまではゆかないまでも、かなりの中心人物としての地位にいるように感じられた。もしも、イオのあの狂信ぶりが、ほかの幹部たち、さらに上層の《五大師》であるとか、まだヨナの会ったこともない、この新しい教えをヤガじゅうにひろめ、おしすすめようとしている人々と同じものであったら、この《新しきミロクの教え》は、世界全体にとってかなり危険なものになってしまうことだろう。その教えの内容がどうというよりも、ひたすら、その狂信性がヨナには気がかりだった。まして、もしかしたら、もっと上の幹部は、もっともっと、イオよりも何倍も狂信的である可能性でさえ、十二分に考えられるのだ。

（私の信じてきた、ミロクの教えが、なぜこんなことになってしまうのだろう……）

なにものかに、たぶらかされ、だまされ、悪夢の世界のなかに連れてこられてしまったような気持が、どうしてもヨナのなかから抜けなかった。

ヨナはだが、表面上はもう、物思いにふけっているようすも見せずに、ひたすらスカールの早足に追いつけるよう、速度をあげて必死に歩いた。だが、スカールとヨナとでは、そもそももともとの体力にもかなりの差があったし、正直のところ、体格や足の長さにもいささかの差はあったので、ヨナのほうは、もう、最前からあいつぐ逃避行に本当はすっかりへろへろになっていた。

スカールは、何回か、ヨナがよろめいて、倒れそうになったのを見て、そのことに気付いたらしい。

「ヨナ、もう、歩けんか。そろそろ、体力の限界か」

「いえ、そんな——そんなことはありません……」

「強がるな。なまじ強がって、もうまったく一歩も歩けない、というところまで頑張られてしまうと、そのあとこちらが困る。先は気になるが、少し休むことにするか。そういえば、お前、空腹ではないか」

そんな下世話なことは、まるきり忘れはててしまっていた。

だが、考えてみると、イオの館で朝食をとり、それから少ししてそこを出て、あの陰鬱な集会所にラブ・サン親子に会うために出かけていって、そうして、そのまま必死の逃亡に巻き込まれてしまったのだ。無我夢中であったから、どのくらいの時間、馬で逃げたり、そのあとさらに徒歩で狭い路地から路地へと逃げ回っていたのかも、わからなくなっていたが、もうとっくに通常の昼食の時間もすぎ、本来ならば午後のおやつの時間にでもなっていようというくらい、時がたっているのは確かなことだった。

スカールに空腹ではないかと聞かれたとたんに、忘れていた肉体的なさまざまな欲求がどっと押し寄せてきて、文字どおりヨナはへなへなとその場にくずおれそうになった。スカールがぐいと手をのばして、そのからだを支えてくれる。

「少し待ってろ。いいか、一瞬だから、ここにかけて、動かずにいろ」

ヨナを、どこの通りにも必ずもうけてある例の縁石に腰かけさせると、スカールは素早く通りを横切り、向かいにあった屋台に入っていった。そのあいだも、ちらちらとこちらや、通りの向こうを気にしている。が、すぐにいくばくの食物と飲み物を手にして戻ってきた。

「粗末なものしかなかったが、ないよりマシだろう。さあ、食え。俺も食う。俺も、いまやっと気が付いたが、目がまわりそうに空腹だ」

スカールはにやりとフードのなかで笑ってみせた。

「かりそめの命なら、いっそのこと、空腹ものどの渇きも感じぬようにしてくれればよいものを――と思うのだがな。そうはうまくゆかぬらしい。――空腹もさることながら、気付いたら喉が渇いて死にそうだ、俺は。さ、これを飲め」

スカールの渡してくれた粗末な土焼きのコップにはなみなみと、乳製品らしい冷たい飲み物が入っていた。ヨナは思わず礼をいうことさえ忘れて一気に半分以上飲み干した。からだじゅうに力がみなぎってくるような感覚がある。

「草原で飲むクミスに少し似ている」

スカールもかなり大きなコップを一気に干してから、ふうっとひと息ついてつぶやいた。

「そう思うとこのあたりはまだまだ草原に近いのかもしれんな。さ、こんどは空腹を満たしたらいい」

渡されたのは、何回かイオの館のまかないにも山と積まれていたことのある、蒸した雑穀をかためて丸くして焼き、それのあいだに野菜のペーストだの、焼いた野菜や味つけ用のソースをはさんだ軽食だった。

「もうちょっと力になるものを食いたかったが、あそこの屋台はまったくの野菜ものしか売っておらなくて、このようなものしかなかった。おぬしはいいだろうがな。俺は、いささか、正直、このヤガの滞在でかなりへこたれた。肉が食いたい」

笑いながら、スカールは、その丸い小さな軽食を二つヨナに渡し、自分用には、袋のなかに五つばかりも入れてあるのを、片っ端から取り出してもぐもぐと食べている。

ヨナも珍しく、がつがつと云いたいほどの勢いで食べた。ヨナのほうは、この軽食でまったく何の文句もなかった。

「知れば知るほど、なかなかに――いや、本来の古いミロク教はどうかわからんが、新しいもののほうは、俺にとっても、俺の部の民にとってもつきあいづらそうなものでしかないな。肉は食えぬ、酒は飲めぬ、夜は早く寝るしかない――まあそれは、草原でも同じことだが、にせよ、このままだと、いったい何を楽しみに生きてゆけばいいのかということになってしまいかねんな。――俺は、本来それほど酒飲みでもなければ、肉をむさぼりくらわねば力が出ないというほうでもないのだが、このたびのヤガの滞在で、いささか考えがかわった。やはり人間には、生きてゆくための楽しみというものが必要だぞ、ヨナ」

「かもしれません」

二つめの食べ物を食べおわり、まだ旺盛な食欲をみせてスカールがもりもりと残ったものを食べているのを見ながら、ヨナは大人しく云った。ヨナ自身は、一生肉食しなくともまったくかまわないほうだったが、少なくとも、ここで、それについて、スカールと論争する気持にはまったくなれなかった。まして、スカールが、あのぶきみな集会所の危機から、無事にヨナを救い出してくれたのだ。

「あの——ラブ・サン親子たちはどうなってしまうのでしょうか」

ヨナは、まだ残っていた濃厚な飲み物を少しずつ啜りながら、ためらいがちにつぶやいた。

「もう、なんというか——正気に戻す方法はないのでしょうか。ラブ・サンは、クリスタルではかなり人望を集めている大きな実業家でしたし、マリエもミロク教徒のあいだで、クリスタルのミロク教徒の模範のような女性として人気がありました。もしかれらがクリスタルに戻ってくるなら——いまのままの状態で戻ってくるとすると、最初のうち、かれらがおかしくされてしまっていることに気付かないで、かれらにその——洗脳を受けてしまうミロク教徒はパロには、けっこうたくさんいそうな気がしてとても恐しい気持がします」

「だが、それも、お前が同じその役割をおわされてクリスタルに戻るよりははるかに罪が軽いだろうさ」

スカールはもう食べ物が残っていないのを確かめるように袋のなかに手をつっこみながら云った。

「お前が同じように洗脳されたとしたら、お前が影響を及ぼすのはクリスタル・パレスの内部ということになる。——ヴァレリウスはかなり、そういう点では気が付くかもしれんが、リンダ女王というのは、あまりそういう意味で明敏というか、すばやく対策のとれるほうではなさそうだしな。それにもまして、いまのパロは、そうやってすばやく対策をとって、外敵——ことにじわじわと内部から侵入しようとしている外敵を閉め出す、などという敏捷な動きがどのくらい出来るものか——まあパロには魔道師軍団という最後の砦があると思っていたが、あの間抜けの魔道師を見ていささか俺も考えが変わったぞ。もう、いまのパロには、魔道師も、ろくなのが残っていないし、といって軍隊はもちろん、大半が内戦で形骸化しているし——ということになると、やはりこのさい、パロは思い切ってどこかの国に全面的に頼ってしまう以外、国家として継続するのは難しい状態になっておるかもしれんな」

「え……」

ヨナはぎくりとしながらスカールを見つめた。

「それは、たとえば……ケイロニアということでしょうか……」

「に限らずだ。だがクムとゴーラの王はリンダ女王を王妃にと狙っているわけだからな。そこにうかつに頼ろうものならえらいことになるだろう。まあ、俺は――俺としては、ケイロニアはともかくとして、もしも俺がお前を送ってパロにまた入るなら、俺がなかだちをとって、アルゴスにうしろだてを頼んではどうかと提案してみようかと思っている。――なんといっても、アルゴスは、パロにとっては縁戚の国だ。アルゴスの女王はリンダの叔母だし、ということはその息子の幼い王太子もリンダとは親しい血縁にある。これまでも幾度となく、パロの危機を援助し、またアルゴスも援助してもらっている。こういうときこそ、いささかはなれた場所にあるとはいえ、アルゴスを頼るのが一番妥当なのではないか、という気がするが」

「それはもう……ただ、アルゴスはやはり、間にダネイン大湿原もひかえていますし、それにかつての黒竜戦役のときにも、パロ王室はアルゴスを頼っておりますから――あまりに毎回、そうしてアルゴスをあてにするのは申し訳ない、とリンダ女王は思っておられるのではないでしょうか……」

「それこそ水くさいというものだと俺などは思うがな。だがそれはまあ、またのんびりと草原を旅でもしているときの、よもやま話にしよう。いまはそんなにのどかにそんな話をしておられるときでもなかった。――どうだ、少しは動けそうになってきたか」

「はい、もう、また何ザンでも走ってみせます」

「ハハハハハ」

その強がりをきいて、思わずスカールは笑い出した。

「お前のそういうところが、なかなか俺は好きだぞ。そのへんはパロ人ではなく、あくまでヴァラキアの、沿海州の気性なのだなと俺は思ったりする。まあ、もうこのあとはそれほど走らんでもすむだろう。もうちょっとで、俺が部の民の一部を待たせている場所につく。ヤガをもなんとか無事に出られそうになってきたしな」

「はい」

二人は、急いでまた立ち上がると、わずかばかりの休憩ではあったが、食物と飲み物と休息とで、ヨナでさえかなり元気を取り戻して急ぎ足で歩きだした。

そのへんから先に少しゆくと、急激にあたりのようすがかわってきたのが感じられた。建物がますます少なくなり、その分、ひろびろと広がる田園、畑地、果樹園などが多くなってきたのだ。明らかにヤガ市内から郊外へ出て、住人も少なくなり、人家はいくつかまとまって小さな集落を作っているが、そのあいだを抜けてゆく赤い街道は、あまり巡礼たちに推奨されているとは思えず、ほとんど人通りはなかった。

「巡礼たちがとるのはもっぱらあのミロク街道、ヤガ街道なのだろうな」

スカールは頷きながら云う。

「まあ、それを調べさせたので、俺も、このあたりに部下を待たせることにしたのだが——ヤガの郊外でも、南の側はけっこう、ヤガの富豪や僧侶たちのすまい、また寺院の分院や塔頭などが沢山建てられているようだ。海に近い側はまた、南ヤガの市街地がひろがっていて、かなり発展している。ヤガは直接には港町とは云えぬので、南ヤガをひろげて、ヤガと海とのあいだに直接のルートをひらこうとしているようすが感じられると、ヤガを偵察してきた俺の部下が云っていた。北のほうは、土地も痩せているし、わりとすぐに草原地帯に入ってしまうので、放置されている状態になっているようで、ほそぼそと小さな村落があるだけのようだ。巡礼たちも、こちらのルートをとるものはごく少ない、と部下が報告していた。それで選んだのだ」

「なるほど……しかし、あの、ヤガに入るときにすれ違ったり追い抜かれたりした巡礼たちのなかには、ずいぶんと、訓練され、組織化されたものがいるようでしたね——私はそれがとても気に懸かって」

「それは俺も気がかりだ。だが、とにかくまずはこの窮地を脱することだ。——待て」

すばやく、スカールが、おのれのうしろにヨナを庇うようにした。が、貧しげな街道筋の家々のあいだから出てきたものをみて、ほっとしたように肩の力を抜いた。

「お前か、タン」

「お待ちしておりました。それはもう、心配申し上げておりましたよ」

それは、巡礼のいでたちに身を包んだ、スカールの部下のひとりであった。

スカールを確かめると、部下はするどい指笛を鳴らした。とたんに、数人の、巡礼すがたのものたちが、素早く街道に飛び込んできた。

さっと膝をついて挨拶しようとするのを、スカールがとめた。

「よせ。誰が見ていないものでもない。まだ、ここあたりでは安心は出来ぬのだ。――残りのものたち、タミルたちはどのあたりにいる」

「もうちょっと奥まった、あの小高い丘の手前に森がございましょう？　あの森のなかで太子さまをお待ちしております」

タンと、どっとあらわれた数人にかこまれて、スカールとヨナは、街道からおりて、あたりに続いている耕地のあいだをうねるように続く、細い畦道《あぜみち》に入っていった。あたりは幸いに人影もなく、耕作にはたらくこのあたりの住人のすがたもなく、ひっそりと静まりかえった、さびれているといえばこの上もなくさびれた昼下がりの郊外の情景である。

「実は追手がかかって、それをどうにかまいてきたと思うのだが、もしかしたら、まだまききれておらんかもしれん」

すばやくスカールが説明した。

「そのつもりで、いつなりと戦える体勢でいろ。それから、俺の剣を寄越せ」

「はい」

タンが渡した剣を素早く腰にさすと、スカールは明らかにひどくほっとした表情になった。

「一応、バザールで、折り畳み式の目立たぬ剣は手に入れてはおいたのだがな」

ヨナに説明するともなくいう。

「だがやはり、どうあってもおのれの身に馴染んだ草原の剣がないことには……まあ、おぬしには縁のない話だろうが。馬はどのあたりにひそめてある」

「この辺の街道では、馬に乗っているものがほとんど通りませんので、目立ってはいけないと、あちらの林のほうに数頭、伏せてあります。あと、タミルたちのいるところには、残りの馬がもちろんお待ちしています」

「そうか」

スカールは考えた。

それから、大きくひとつうなづいた。

「それでは、タン。それから……」

そこに、スカールを取り巻いて真剣な顔で指令を待っているおのれの部の民を見回して、心を決めたように見える。

「カン、オーク、タン・ター。俺についてこい。これからヤガに戻る」

「かしこまりました」

誰も、何も聞き返そうともせぬ。

たったいま、そこから逃れてきたばかりのヤガに、またしても太子がごく少数の部下のみを連れて戻ろうとすることについて、理由を聞こうとさえせぬことに、ヨナはさすがに感心していた。それが、騎馬の民の統制というものなのか、と思う。誰ひとり、驚いた表情をするものさえいなかった。

「ヤガの中心部から、連れ出してこなくてはならぬ親子がいる。——かなりミロク大神殿に近く、たぶんもう俺たちがこうしてヤガを逃れようとしていることはきゃつらにはすっかり知られているから、警戒網も張られているし、俺がなにものであるか、ということももうばれてしまっているだろう。今回はかなり危険だとも思わなくてはならん」

「はい。太子さま」

こともなげに選ばれた三人がうなづく。そして腰の剣をあらためるのへ、スカールが首をふった。

「剣は、持ってゆけぬ。短剣を隠して持ってゆくのが精一杯だ。でないと、見咎められて、そうでなくとも我々はいかに巡礼に化けても目立つ。たちまち、取り囲まれてしまうだろう。――だがなるべく早く戻らねばならぬ。それと」

「はい」

「ヨナ博士は、タミルたちのところにお連れしろ。そして、俺たちが戻ってきたらただちに一緒に動けるよう、それまで安全にお守りしているのだ。それが残ったものたちの最大の任務だと心得ろ」

「かしこまりました」

「ヤガ市中はかなり異常な動きが見られ、かつてのミロク教徒とはだいぶようすが異なってきている。たぶん、剣をとるものも、魔道を使うものさえもなかにいるようだ。そしてまた、《新しきミロク》と称するやからが、ミロク教の名のもとに、中原を侵食しようとはかっているきざしがある。――この情報は、なんとしても中原にも、また草原諸国にも持ち帰らなくてはならぬ。俺も極力無事に早く戻ってくる。それまで何があろうと、ヨナ博士をお守りしていろ。まだ、あの森のあたりではヤガに近すぎるかもしれぬ。俺は一応、そこを目指して戻ってくるゆえ、そこからさらにもっと奥、草原に近いほうへ移動しておけ」

「はい」

「そして、場合によってはヨナ博士を発見されぬよう、草原までしりぞいていてもかまわん。とにかく、どこに移動していても、俺にわかるようになっていればかまわぬから、ヨナ博士を守るのだ」

「…………」

ヨナは、無言で騎馬の民たちに頭を下げた。

「かしこまりました。ヨナ博士をとにかく何があろうとミロク教徒の手に渡さない、それが今回のわれらの最大の任務でございますね？」

「そうだ。それはタミルに全責任をもつように云え。少し俺の戻るのに時間がかかっても、とにかくヨナ博士を守って、決して俺の安否をたずねようとヤガに入ったりするな。ヤガはお前たちが思っている以上にあやしいところとなっている。お前たちの人数でヤガに入ると逆に全員がとりこめられることになってしまうかもしれん。——もしも俺がどうあってもヤガから脱出出来なくなった折には、なんとかして、知らせを飛ばすゆえ、そうしたらヨナ博士を守ってアルゴスまで引き揚げるのだ」

「アルゴスへ」

今度はさすがに少し驚いた声を、騎馬の民たちがたてる。

「そうだ。今度のことは、我々——俺の部の民だけで処分出来るようなことではなさそうだ。もっと大きな——中原全部を巻き込むような波乱が起きるかもしれん。それゆえ、ヨナ博士は最終的にはアルゴスでお守りするようにするのだ。アルゴスまではかなり距離がある。それまでに危険そうだったら、とりあえずトルースに頼れ。トルー・オアシスなら、いかなきゃつらでもあまり目立つことは出来ぬだろう」

「…………」

これは容易ならぬことと察したらしく、騎馬の民たちはおもてをきびしくひきしめてしきりとうなづいた。

「俺からの連絡はどのようなかたちになるかわからぬが、ともかく要所要所に一人づつ、連絡係を残しておけ。いつものとおりだ。やり方はわかるな」

「その御連絡──わたくしが引き受けさせていただきたいのですが」

ふいに、空中から声がした。

スカールも騎馬の民も全員凍り付いた。

3

「くそ、また魔道師か」

が、さすがのスカールも、たてつづいて魔道師の登場にあって、かなり馴れてきているようだった。舌打ちして云う。その目の前で、もやもやと黒い霧があらわれ、それが黒いフードつきのマントをつけたひとのすがたとなった。

「お驚かせしてしまいまして、まことに申し訳もございません。ずっと見守ってつきしたがっておりまして、何かあったらお声をかけようと思っていたのでございますが、機会がなく――このようなぶしつけな出かたをしてしまいまして、申し訳ありませぬ」

あらわれた魔道師は、一見していかにもまだ若そうだった。膝をついて、丁重に礼をするのへ、もどかしそうにスカールが首を振る。

「挨拶などあとにしろ。お前はパロの魔道師か。あの殺された魔道師の仲間か」

「さようでございます。サリウと申します。まだまだ若輩者でございますが、このたびフロリーどの親子をヤガから連れ出すよう、との任務をヴァレリウスさまから頂戴しまして、ずっとヤガに潜入し、フロリー親子の身辺を見張っておりました。——仲間のバラン魔道師が、別の任務——ヨナ博士を救出する任務をいただいてやはり潜入していたことは存じておりましたが、たがいにあまり連絡をとらぬように、魔道師があまり魔道をもってヤガで連絡をとりあったり、ともに動いたりすると、ヤガの側に気付かれやすくなるだろうからと、それぞれの任務に専念するよう、ヴァレリウスさまから命じられておりました。——バランが殺されたことは、遠話の網を張っておりましたので、感じ取っておりましたが、それゆえ、何も手出し出来ませんでした」

「そうか。だがそのほうがよかった。そこにさらにもうひとり魔道師が介入してきたら、さらにややこしいことになっただろう」

スカールは黒い太い眉をしかめた。

「お前は、フロリー親子をヤガから連れ出す命令を受けていたというのだな」

「はい。それで、それとなくずっとフロリーどの親子を見張って、何もあやういことが起きぬよう気を配っておりました。これまでのところ、フロリーどの親子の周辺には、バランを殺した《新しきミロク》の勢力も接触しては参っておりませんし、フロリーどの親子の存在がそちら側に気付かれている、ということもないように思われましたが、いま現在はわかりません。いまは、私の手下の——まったくの駆け出しではございますが魔道師が、何かあったら私にただちに連絡をとる以外何もせぬようきつく命じられて、フロリー親子に張り付いております。スカール太子さまの御命令があれば、ただちにそちらに太子さまをご案内し、なるべく安全に太子さまとフロリー親子をこちらにご案内しようと思うのでございますが。これからすぐ、フロリーどののところにいって、これこれこうとお話をする役をお引き受けしてもよろしゅうございます。フロリーどのには、それとなく、買い物の馴染み客のようなていをもてなして、一応面識を得ておりますので、いま私の素性を知られても、それほどお疑いにはならぬかと思います」

「そうか」

スカールはまた太い眉をよせてじっとサリウを見つめた。

「どうやら、あの殺された男よりは、お前のほうが、若いが多少信用がおけそうだ。よし、わかった。先にフロリーにこととしだいを連絡して、すぐにヤガを出られるように用意しておけと話をしてくれ。そして俺をフロリーのところに案内してくれれば、一番助かる」

「かしこまりました。ただちに、部下にフロリーどのと連絡をとらせます。それは心話ではございませんから、《新しきミロク》に気付かれることもございますまい」

サリウは褒められたのが嬉しそうに、頬をフードのなかで輝かせながら云った。

「私もこちらに参ってから、多少、気になりましたので《新しきミロク》勢力のことを調べておりましたが、どう考えましても、かれらの仲間には、かなり沢山の魔道師がいるとしか思えません。そうでなくては、とても出来ぬような洗脳であるとか、あるいは人が――《新しきミロク》勢力に反対する人が突然消え失せたり、といったことがいろいろとおこなわれているようなのです。――が、まだ、その魔道師たちは全面的におおっぴらにヤガでふるまうことは出来ないでいるようです。ミロク教の古い教えでは、魔道も魔道師もかたく禁じられ、それはこの世の論理や現象をもてあそぶ、とてもよくない邪教だということになっているようでございますから」

「そうなのか、ヨナ」

スカールはヨナを見た。ヨナはうなづいた。

「ええ、ですから、ミロク教の勢力範囲では、一切魔道師の出入りは禁じられ、魔道の使用も禁じられているはずです。――しかし、あのバランをイオ・ハイオンが殺した手口は、どう考えても、邪悪な黒魔道であったとしか私には思えないのですが」

「俺にもあれは魔道に見えた。――が、ここで、《新しきミロク》が魔道を使っているのかどうかを論議していてもはじまらん。とにかく動きだそう。ではサリウ、早速に俺をフロリーのもとへ案内してくれるがいい。そして、それではフルイ、お前が責任をもってタミルのところまでヨナ博士を護送しろ。そして、そこからはタミルにヨナ博士を守る役割の最高責任をまかせるのだ」

「かしこまりました。太子さま」

「俺がなかなか戻らなくても焦るな。この魔道師どのがいてくれれば、それなりに連絡をとる方法は見つかりそうだ」

云うと、もう、スカールは、すたすたと歩き出していた。スカールに指名された、タンをはじめとする三人の騎馬の民が、すばやく群れから抜け出して、スカールのうしろに続く。

「俺と歩くとき少し間をとれ。四人でかたまっていると目立ちすぎるだろう。それに、巡礼どもは道の端のほうを一人一人たてに並んで歩くものと決まっているようだ。お前らもそれに従って、うつむいて、あまり早足になりすぎぬように、だが遅れぬように俺についてこい」

「は」

「では、フルイ、ヨナを頼んだぞ」

言い捨てて、たちまちスカールは早い足でもう、騎馬の民の群れからはなれていた。すいと、サリウ魔道師がスカールのかたわらへ寄り添うように三人の従者を追い抜く。

「私たちも出発いたしましょう。ヨナ博士」

フルイがうながした。これは四十がらみの大男で、右頬に大きな古傷のあるのを黒いこわいひげで隠している、とうていいかに巡礼の格好をしても巡礼には見られそうもないごつい男だったが、目は人がよさそうに光っていた。

「タミルたちのいる場所まではちょっとございます。ちょっと急ぎましょう」

「ええ」

ヨナももう何も聞き返さなかった。スカールの身の上も、フロリー親子のこともひどく案じられたし、大切な荷物をイオ・ハイオンの館に置きっぱなしであることも気になっていたが、もう、やむを得なかった。一番大切なナリスの本は、いつも肌身離さず懐中している。それだけでも、もうほかのもの——ささやかな思い出のある品々だの、愛用の日用品だのは諦めなくてはなるまいと思う。それにどちらにせよ、日用品については、オラス団が全滅したあとに、オアシスでスカールのなさけで揃えてくれたもので、もとからパロから持ってきたものは、ナリスの本と多少の大切な品々のほかはみな草原で失っていた。

(フロリーとスーティが——むろんスカールどのも、無事に早くヤガを抜け出せるとよいが……)

もう、ヤガがいったい本当はどのようなありさまになろうとしているのか、それをうしろからあやつっているのは本当は誰であるのか、古く正当なミロク教団はいったいどうなってしまおうとしているのか、それについても、いまここで自分があれこれ憶測したところで、何もわかりはしない、と思うのだ。

(何も出来ぬし、何も解らぬ以上、つまらぬことをあれこれと考えぬことだ……)

ラブ・サンとマリエの運命についても、もう考えぬようにしようとヨナは思った。

スカールたち、別働隊の姿はもうとっくに木々のあいだに見え隠れる街道のはるか彼方を歩いている。かなりの早さでかれらは歩いているようだ。巡礼姿のままで出来る限りの早さで、かれらはヤガに戻ろうとしているようだった。それを見送って、ヨナも騎馬の民たちに包み込まれるようにしてそのまんなかに置かれ、そのまま畦道を歩いて抜けて、狭いが踏み固められた、片側が林になっている農道に出た。

ヨナを守る騎馬の民たちは、その数わずか四、五人でしかない。だが、ヨナには、なんだかとてつもなく大勢いるように思われた。みな、ごつくて大柄だからだろう。それに、一応巡礼の黒いマントをかけてはいるが、その下からちらちらとのぞく服装は、騎馬の民の、いろいろなぼろをつづくりあわせた極彩色のものだ。巡礼の黒一色ばかりで塗りつぶされているかのように思われたヤガの都のなかで、いかに華やかな色彩だの、ゆたかさやきらびやかさや人がましい装飾だのといったものを見ていなかったか、ということにふいに奇妙な気持でヨナは気付いた。

(もともとは、ミロク教の、そうした質実さと素朴さ、派手やかでなさをとても好ましいと思い、自分の部屋なども、意識してミロク教の規範にあわせるように、灰色の布をつかい、飾り物などもおかずに、ひっそりと質素にしていたものだったが……)

いまとなってみると、どうして、クリスタルのあの華やかできらびやかな色彩の渦がとても懐かしくさえ感じられるのだろう、と思う。やはり、自分は長いあいだクリスタルに住んで、もうすっかり、パロの文化に心を塗り替えられてしまったのか。それとも、そもそも、心をよせたミロク教そのものが変質してしまったからか。

騎馬の民たちは何もことばを発さない。いくぶん緊張してあたりを見張っているようすも見える。そうして、ヨナをまんなかに押し包むようにして、どうしてもそうなるとヨナの足のほうがかれらより遅いので遅れがちになる。それにあわせてくれて、たぶん本来のかれら自身の歩く速度よりはかなりゆっくりでじりじりしているのだろうが、そのようすをおもてにも出さずに、ひたひたとヨナを守って歩いている。

右側はかなり深い林だが、左側には耕地がひろがっている。その耕地も、だが、よくみると、かなり長いあいだ放置されていたかのように、あまり手入れされた痕跡がないことに、歩きながら――なるべく足をはやめて歩きながらも、ヨナは気付いた。

(そういえば、このあたりは、こんなゆたかな耕地だというのに――まだひるまだというのに、あまり、いや、まったく、耕したり、取り入れたりする仕事をしている農夫、農婦というものを見かけないのだな。――最初ここにやってきたときには、ひとかげがないほうが、見られることがなくてありがたい、都合がいいとしか思っていなかったのだが、こうして農地のあいだを歩いていると、なんとなく――そうだな、妙に、不自然な感じがしないでもない……)

（まあ、たまたま今日はこの方面にはひとが出てきていないだけだ、というだけのことならばいいのだが——それにしても、もうけっこう長いこと農地、林、果樹園のあいだを抜けて歩いていると思うのだが……さっぱり人のすがたを見かけない。まるで、このあたりが、住人たちがすべて、途中で耕作を放置して逃げ出していなくなってしまい、無人のままに放り出されている土地だ、とでもいうかのようだ……）

よく見ると、耕作地ではあるのだが、だいぶ長いこと、もう水をあたえられたあとも、鍬やすきで土をほぐしたあともないように、土はかたくなり、そして、おそらくガティ麦であるらしい穀物は、少ししおれかかっている。なかには、もう、頭を垂れてしまっている穂もある。

また、麦畑でない、野菜を育てているらしい畑でも、もうとっくに収穫の時期を迎えているはずの巨大な葉野菜——玉菜として知られている、ごくどこでも見られる野菜が、玉をまかずに、外側の何枚もの葉が茶色くなってしおれたままだらしなくひろがり、まんなかの玉になるはずの部分も、てっぺんなどはちょっとしなびかけたまま、げんなりとひろがってゆこうとしているのにも、ヨナは気付いた。よく見てみると、このあたりの耕地はどこも、もう何日も放置されっぱなしのままのように、みじめな、手入れのされていないありさまをさらしていたのだ。

遠く木々のあいだに、いくつかの家々のかげが見える。ごくありふれたこのあたりの農家が、何軒かづつ寄り添いあって、小さな集落をつくり、そのまわりに石垣が組んであって、その内側に収穫を入れる小屋、馬小屋、牛小屋などがある――というのも、このあたりといわず、中原全体でごく見慣れた風景だ。

だが、その小集落の家々のどこにも、やはり、ひとかげがない。家があれば、たとえ耕作地にたまたまひとの姿がなくとも、子供の声がしたり、水が流れていて、そこで洗濯をしたり野菜を洗う女の姿があったり、コッコッと騒ぎながらえさの虫をついばんでいるニワトリの姿があったり、ひとのいとなみの気配が必ずあるものだが、これらの集落には、こうして木々のあいだからすかし見るかぎりにおいてはだが、全然そういう気配がない。

壁ぞいには、割った薪が丁寧に同じ大きさに縛って積み上げられていたし、軒先には、長い縄を横にぴんと張って、そこから、縄で編んで一列になるようにしたガティの玉だの、乾果だのがいくつもぶらさげられていた。そのかぎりでは、ごく最近までこのあたりの集落で人々が生活していて、それは活発なごくあたりまえの暮らしがいとなまれていたものであるのは、ひと目でわかる。

だが、井戸のつるべは放り出されたままかわいており、そしてからからにかわいてしまった乾果を取り入れるものがあるようでもなく、扉が半開きになったまま、バタン、バタンと風に揺れている家もある。それもみな、近づいてひとつひとつ調べるいとまもなく、ヨナは騎馬の民たちに取り囲まれて、どんどん深い森のほうへと近づいていくあいまに見るくらいだったから、確かなことは云えないのだが、それにしても、何か奇妙な《異変》の予感のようなものを、ヨナはしだいに感じ始めていた。

（このへんの集落には……少なくとも、この十日かもっとそれ以上、ひとがいたというようすがない……その前には、確実に、人々がここで平和なあたりまえな生活をしていたように見えるのにだ……）

「どうなさいました。ヨナさま」

スカールが守るように命じたからには、かれらにとってもそれは主筋と云ってもいい賓客だ、と思うのだろう。フルイが、丁寧に声をかける。

「ちょっと、お疲れですか。あまりに急ぎすぎましたか。ちょっといったん、休んでひと息いれたほうがよろしゅうございますか」

「いいや、そんなことはありません。先を急いだほうがいいと思います。ただ」

ヨナは、木々のあいだをすかして見える、左側の農地のむこうにひろがる小さな家々にむかって手をふった。

「あの集落――まるで、無人のように見える。そうは思いませんか」

「あの家々ですか」

フルイはそちらにはまったく何の関心も持っていなかったらしい。

ヨナにいわれてはじめて、そちらに目を向けて、しげしげと集落の様子を眺めた。ほかのものたちも、黙りこくって歩いていたが、やっとちょっと人がましくなってきたかのように、低くがやがやと何か云いながらそちらを見やった。

「ああ、ありゃあ、誰も住んでおりませんですね」

フルイが妙にはっきりという。

「あの窓のなかが見えますが、あかりもついてないし、ありゃあ、捨てられた家ですよ。そうは見えないし、まだつい数日前くらいまでは人がいたと思いますが、ここんとこ何日かは、確実に、誰もいませんね。――そういえばこのあたりの農地もみんな、しばらく手入れされたようじゃあないな。な、みんな」

「ああ」

「おらあ気が付いてた」

「みんな、村を捨てたかなと思ってたよ」

騎馬の民たちが口々に答える。フルイはちょっと興味をひかれたように、すごい傷跡のある顔をゆがめた。

「おい、ハル、ちっと駈けてって、あの家の中のようすを見てこい。誰か死んでたり――流行り病いかなんかでみんなやられてんのか、それともたまたま、なんかあってみんないっせいに家から逃げ出したのか、ちょっと様子を見てくるんだ」

「あいよ」

若い騎馬の民が威勢よく走り出した。ヨナのペースにあわせるのは騎馬の民たちにとってはなかなかにまどろこしいことであったのに違いなく、むしろそうしてからだを使えるのが嬉しいようだ。

といってほかのものたちは足をとどめてハルを待っていてやるようすもない。どうせ走ってすぐ追いついてくるだろうと思っているようすで、まったく速度をかえずに、どんどん先へと歩き続けている。もう、タミルたちが待っているという森はかなり目の前に大きくなりはじめ、目的の場所までは半分くらいは近づいているようだ。

「流行り病いがこのあたりではやってるなんて話はきこえてこなかったな」

フルイが考えこむようにいった。

「それに、俺らがちょっと食い物を売ってもらった集落とかは、まったく普通のままだったな。――このさきちょっと小川があるんだが、その向こうまでは、べつだん何も……けさまでは変わったことはなかったと思うが……」

「たまたま、ここのとこ祭りかなんかがあって、みんな大商いをしに、盛大に荷物を積んで、家族じゅう、いや集落じゅうでヤガにいっちまってるんじゃねえのかな」

別の騎馬の民が云う。フルイはこわいひげのはえたあごをぼりぼりひっかいた。

「どうだかな。そんな祭りが近いなんて話もきかなんだし、それに、だったら――もうちょっとちゃんとカギもかけ、戸締まりもして、あとの始末をよくして出かけてくんじゃねえのか」

「そらあそうだが、急ぎだったりしてな」

「かもしれねえが……なんだか、それに、誰もこれだけの農地を耕してねえっていうのが気になるっちゃ気になるが……いまちょうど、収穫どきだろう。それそこの玉菜だの、あっちの果樹園の果物だのはな。だのに、このままじゃあ……どんどん、ガーガーどもに食えといわぬばかりだ。ミロク教の農夫どもなら、収穫はもっと大事にするんじゃねえのかと思うし、それに……」

フルイの声が、ふいに、止まった。

「おい。なんか妙な気配を感じるぞ」

するどい声で、仲間に警告を発する。

「ヨナさまをまんなかに円陣をしけ。といってもちっぽけな円陣しか出来ねえけどな。手のあいたもん、タミルに笛を吹いて援軍を呼べ。迎えにきてもらえるようにしろ。——なんだか、うまく云えねえが……その——そうだな、空気がおかしい」

「俺も感じる」

別の騎馬の民が大きくうなづいて、マントをはねあげ、腰の剣をあらためてすぐ抜けるようにした。

「なんかにおいが変だ。これまでと違う」

「なんか、急に空が暗くなってきたぞ」

もうひとりが叫ぶようにいう。そのとき、偵察にいったハルが、ころがるように走って戻って追いついてきた。

「フルイ、あの家々は、どれもこれもだーれもいねえんだ」

大声で遠くから叫ぶようにいう。

「もう、まるきり、見捨てられちまってる。だが、それもごくごく最近のこった。たぶん三日とか四日とか、そのくらいしかたってねえだろ。机の上に、まだひからびたガティのパンが半分放り出してあった。——誰もいねえし、どこも荒らされたようすはねえ。それに、荷物を持ち出して出てったようすもねえ——ただ、誰もいねえんだ。まるで、あの村全体の人間が、村だけをおいて、急いで——なんかの命令を受けて出てっちまったみたいな、変なあんばいだよ」

「わかった、ハル、早くこっちにこい」

フルイの声は緊張していた。

別の騎馬の民が、指を口にいれ、鋭く吹き鳴らしている。ピイー、ピイイー、という音が空気をつらぬいて、ひろがってゆく。

ややあって、はるかな森のほうからも、かすかに、同じピイーという指笛の音がきこえてきた。

「タミルが聞こえてくれた」

指笛を吹いていた騎馬の民がほっとしたようにいう。

「タミルが援軍をつれて迎えにきてくれる」

「それまで、下手に動かんほうがいいかな」

緊張した声で、フルイが云った。

「ヨナさま、俺からはなれねえで下さい。なんだか、様子が変です。――いや、何かが起きるとは思わねえが、なんだか、空が暗くなってきたし――ウワッ。なんだ、あのガーガーどもは」

ひとびとはぎょっとしたようにそちらに目をやった。

空に、いつのまにか、驚くほどの数の真っ黒なガーガーが、巨大な翼をばさつかせながら、集まってきていた。

いったいどこからこれほどの数のものが出てきたのだと思うほど、たくさんのガーガーだ。それが、ガー、ガー、とあまり大きな声でもなく鳴きたてながら、バサ、バサ、と中空を飛び回り、木々の梢にも止まっている。

「ウワッ。こんな大勢のガーガーは見たこともねえ」

ひるんだようすで、騎馬の民のひとりがつぶやいた。

「きゃつら……けっこう気が荒いっていうが、まさか……」

「万一きゃつらが襲ってくるようなら、すぐに農地を抜けて、あの農家のなかに飛び込むんだ」

鋭く、フルイが云った。

「あれだけの数のガーガーに襲われたら、これだけの人数じゃ……こっちはとてもかなわねえ。きゃつらのクチバシときたらえらく鋭いからな。——が、まあ……まさか……ガーガーがそんなふうに人間を襲うなんていう話は、あまり聞いたことがねえ……」

「だといいんだが……」

ぶきみそうに、やっと追いついて合流したハルが上を見上げる。

「すげえ、空が、ガーガーの翼で暗くなっちまうくらいいやがるぞ……」

「なんてこった。……タミルたちは大丈夫か……」

「ヨナさま、いざとなったら、マントのフードをしっかりかぶり、顔を絶対にきゃつらに向けないようにして下さいよ」

フルイが云った。

「きゃつらはまず目を狙ってくるっていいますから。草原じゃあ、ガーガーなんかいねえので、俺らもガーガーどもの考えることはよくわからねえが、しかし、このようすは尋常じゃねえ。——そろそろ、あの農家かどこか、とにかく屋根のあるとこへなんでもいいから飛び込んで……」

「ああっ！」

ふいに、誰かが、悲鳴のような声をあげた。

「あれは、なんだ――！」

4

もう、空は、ガーガーの黒い翼でさながら覆い尽くされてしまったかと思われた。

フルイたちは本能的な恐怖に身をこわばらせ、フードをかぶった頭をこわごわ上に向けながら、そのガーガーたちの大集結を見上げていた。いつのまにか、まったく本能的な動きのように、かれらはみんなぴったりと身をよせあい、それでも感心にヨナをまんなかに包み込むようにして、何匹かいる馬をそのまわりにおき、不安そうに腰の剣に手をかけながら空を見上げていた。

ガーガーは木の枝にも、家々の屋根にもとまっていた。その不吉な黄色く光る目が、黒い頭のなかで、こちらをじろじろと見下ろしているようすが、なんとなくいかにも、ちゃんと意図的にそうやって集まってきている、という、妙に人間くさい感じをおこさせる。馬たちも怯えているらしく、ブルルル、ブルルルと鼻息を鳴らすが、ガーガーを刺激して、万一にもいっせいに襲いかかってこられては、などと思うのか、あまり大きな音は出さない。

そのなかで――いたるところがガーガーの巨大なすがたで埋め尽くされてしまった、異様なありさまになった世界のなかで、さらに――誰かが悲鳴をあげたように、もっとあらたな異変が起ころうとしていた。

ガーガーたちのあいだに、黒いかたまりのような巨大なものがしだいに集結してきつつある。

何もなかったはずの空に、まるでガーガーたちの集団に迎えられ、呼ばれた、とでもいうかのように、ぶきみに、黒いもやもやした大きなかたまりが中空に出来上がりかけている。

そのようすそのものは、ヨナは、見慣れていないわけではなかった。ついさっき、若い魔道師のサリウがあらわれてきたときにも、そうやって黒いもやもやしたかたまりとして出現し、それからだんだんひとのかたちをとってきて、最終的にひとがたとなって地上にとんと降り立ったのだ。パロでも、何回となく、魔道師たちがそうしてあらわれるのを見ている。ヴァレリウスのようにせっかちなものは、急いでいるときにはごくわずかな時間であっという間に実体化してしまうが、通常はもうちょっとじんわりと時間をかけて、黒い霧をかきあつめ、それが凝りかたまって人間になった、というような経過を経て、魔道師の黒いマントに包まれた不吉な姿があらわれてくるのが、魔道師の出現のつねだ。

もっともこれは、正式の出現とは認められていないので、むろん、女王の前だの、位の高いものたちの前でそのようなことをすることは少なく、それは非常事態の場合のみに限られていたはずだ。だが、普通の魔道師は、べつだんそうしてクリスタル宮廷に雇われているものだけではないから、平気でそうやって出現して、ひとの心胆を寒からしめたりもする。

だが、これは——

(魔道師か？　魔道師なのか……？)

(だとしても——なんだか、とてつもなく……)

ヨナは、一応王立学問所の学生たるために、多少の魔道学もかじったし、ほんのとばくちだけだが、魔道を扱えるよう訓練もされたことがある。魔道をまったく扱えないものには、とうてい、魔道学を理解することはできないであろう、という趣旨のもとに、王立学問所で深く学問をまなぶ学生はみな、上級ルーン文字の読み書きを習い、《閉じた空間》だのを自由自在にあやつるとまではゆかないが、少なくとも多少の魔道の初歩はおこなえるように慫慂《しょうよう》されるのだ。

それは、当然、学生たちの感覚をとぎすまし、魔道に対して、魔道師に準ずる程度には、鋭い感覚と知識を持たせることになる。ことに、ヨナは、「いっそ、魔道師になることも考えてはどうか。あなたは非常に素質があると思う」と魔道学の教授にすすめられたこともあったくらい、魔道にはむいたものがあったらしかった。当人はそのようには夢にも思っていなかったし、まして、そちらとは正反対のミロクの徒でまだありつづけていたから、にべもなく断ってしまったのだが。

だが、そのヨナであるだけに、そのころの感覚はまだはっきりとからだに残っている。

（これは——何か——容易ならぬものが出現する……魔道がらみのものだ。魔道師かもしれぬ……たぶん魔道師だ……だが、それは——我々が太刀打ちできるような——さっきのサリウのような、そんな初歩の魔道師ではない……）

（どうしたらいいだろう。——もしこの魔道師が敵だったら……我々にはなすすべもない。——スカールさまには、どう連絡をつけたらいいだろう……）

スカールが戻ってきても、どうにもならないだろうが。

息を詰めて見守っているしかない草原の人々の前で、ガーガーたちは、不思議と、立ち騒ぐのをやめていた。黒々とつややかな羽根をばたつかせながら、宙に浮かんだまま、あるいは枝にとまったまま、まるで何かがはじまるのをじっと息を殺して待っているかのようにじっとしている。それは、まるで、祭司長の登場するのをじっと待っている、黒いフードつきのマントに身をつつんだミロク教徒の群れのようにも見えた。ヨナはひそかに身をふるわせた。

空気のなかには何か、なんともいいようのない嫌悪と恐怖をそそる生臭さのようなにおいがしのびこみはじめていた。何のにおいかはわからなかったが、どこかで、あるいは何かの悪夢のなかでいつか嗅いだことがあるように思われる、そんなぶきみさをはらんだにおいだった。ヨナは知らず知らずのうちに、かつてクリスタルで学んだ、魔除けの印を切っていた。

「ワッ！　あれは何だ！」

もう一度、誰かが悲鳴のような叫び声をあげた――人々は、なかば死人のようになった目で、そちらを見つめた。

どろりと、黒いタールのようなものが、ガーガーどもが見下ろしている地面のまんなか――騎馬の民たちが立っているまんなかあたりに突然、したたりおち、小さな山をなしていた。思わず人々はたじろいでそこからあとずさりした――奇妙ななまぐさいにおいは、その黒いどろりとした小山から発しているのは、ほとんど間違いないように思われた。

「わあっ……」

「何かが……何かが出てくる……」

フルイがかすかな悲鳴をあげる。のろのろと、そのタールの小山がもちあがり、そして、それが、《何か》のかたちをとろうとしていた。

魔道師が黒い霧が凝り固まってあらわれてくるときと、似ていなくもないように思われたが、それでいてかなり雰囲気が違っていた。もっと、何か、そのタールそのものに生命があって、濃密さがあって、それが寄り集まってきてあたらしい何かを形成しようとしている——とでもいうような、何か云うに云われぬ不気味さが感じられた。人々が思わず固唾を呑んでいるなかで、その黒い小山は、のろのろとまず、一タールばかり持ち上がった——ずるずると、その周辺に、残されたタールがしずくのようにしたたり落ちる。

「あ——あ——あッ……」

誰かが声をあげた。

ガーガーどもは不吉にしんとしずまりかえったまま、じっとこちらを赤くもえる目で見守っている。さながら、そのタールの小山から、なにものかが生まれ出ることが、ガーガーどもにとっても、きわめて神聖な儀式であり、重大な事件である、とでもいうかのようにだ。その赤く燃える目はもう、人間どもになどまったく向けられていず、ただひたすら、そのタールの小山を見つめていた。

タールの小山が、また、さらに半分ほど盛り上がった。そのてっぺんに、また、何か小さな盛り上がりが別に生まれた。それはちょうど、人間の頭を連想させた。その下に、また、人間の肩から腕にかけてを連想させるような、どろりとしたかたまりが両横にのびた。

と思ったとき、その、頭のような丸っこいかたちをしたかたまりのなかから、さらにぐいっと、丸い、明らかにもはや人間の頭としか思いようのないようなものがのびあがってきたのだ。ただ、それは、通常の人間の頭のおよそ三倍はあるかと思われた——そうして、その下からあらわれた、両側にぐいと大きく手を広げているかのようなかたちの腕も。

「わ——わッ……」

「あれ——あれは……」

さしも、ものに動じない騎馬の民も、このような怪異にぶつかるのははじめてであると見えた。

その丸い、どろりとタールをぶっかけられたような頭が、だらだらとそのタールが下に流れ落ちてゆき、そうして、そこから、もう明瞭にひとの顔であるものがあらわれてきた。それは、目も鼻も口もちゃんと整った——しかも、普通よりもくっきりと整った、漆黒の、大きな人間の顔で、その上に、さらに驚いたことに、明らかにそれは女性の顔であった。

それも、なかなか整った、野性的だが美人とさえいっていいような女性の顔だ。もはや余分なタールは下に流れ落ち、そのなかからあらわれてきた顔は、大きな光の強い、白く光る目と、そして横にひらたくあぐらをかいているけれども十分に高い鼻と、そしてきわめて大きめの、南方民族を連想させるぼってりと唇の厚い口を持っていた。どことなく、猛獣の雌を連想させる——と言うよりも、南国フリアンティアの土俗的な神アラモンか、それをかたどった使い部ケパラスティの人形などを連想させるような、獰猛でありながら、どこか奇妙な愛嬌のあるそれは顔であった。

いまや、そのからだを包んでいたタールの山がどろどろと下にはがれおち、そのなかにあった人間の本体がすべてあらわれはじめていた。驚いたことにその女は全裸であった——全身、南方のランダーギアの黒人民族よりももっと黒い、黒光りする漆黒の肌に覆い尽くされた、一種神々しいまでにあやしい黒い裸だ。

巨大な——信じがたいほどに巨大な乳房が、まるで砲弾のように両胸に突き出していた。これほど巨大な乳房が、垂れることもなくまっすぐに突き出しているというのは、ありうべからざることのように思われるほど、大きな、そうして硬そうに見える漆黒の乳房の先端に、やや色の薄い、ピンク色をおびた巨大な乳首が、これまたかなりの長さで飛び出している。腰は一応引き締まってはいたが、その下の腹部と尻がすごい迫力でひろがっているから細く見えたのであって、その腰そのものの本来の太さは、それこそヨナのほっそりとした胴体の二倍くらいはあったかもしれない。

全体の大きさが、通常の人間よりは五割増し、あるいはもうちょっと大きいようだった。最初はもっと巨大に見えたのだが、タールがすべてはがれ落ちてどろどろと足元に

溜まってしまうと、もうちょっと、普通の人間の大きさに近づいてきた。そうして、このタールは実際にはまるでこのからだを包んでくるための包装物にすぎなかったのだ、というかのように、それらは女の足元に流れ落ちると、いつのまにか地面に染みこんで、溶けてしまうようだった。

いまや女は素っぱだかのままで、実に堂々たるその体軀をこちらにまるで見せつけるようにしながら、巨大な砲弾のような両方の胸をさしつけ、腰を前につきだし、その腰に肘を張った両手をあてて、かれらのどまんなかに立ちはだかっていた。騎馬の民は仰天のあまり、声も出ないありさまだった——ヨナも云わずもがなではあったが、騎馬の民にとっては、なおのこと、このような女性というのは、言語に絶するものであったに違いない。騎馬の民は勇猛で獰猛ではあっても、それこそ幾重にも重ねた衣裳で身をよろい、騎馬の民の女性はきわめて貞淑で、つつましやかで古風でさえある。こんなふうに、すっぱだかで男たちの前にその全身をさらす、漆黒の黒人女など、騎馬の民たちには、首が八本あるヘビの化け物などよりもよほど驚くべき、信じがたい存在であっただろう。

「何を、そんなたまげた顔をしているのさ！」

巨大な黒人女の大きな口が動いた。

女の髪の毛は、ちょっとからだよりは茶色がかった、くるくるに縮れた、だが腰までほどもある長いものであった。その髪の毛を、女は手をあげ、頭の上にひょいとたばねあげて、ぐるぐるとまきつけた。するとまるでその髪の毛そのものに粘着力があるとでもいうかのように、その髪の毛はそのまま、ターバンのように女の頭にまきついた。

「生まれてこのかた女のハダカを見たこともないっていうのかい！　冗談じゃない。いくらとんまな騎馬の民だって、これまでに一回二回は女を抱いたことだってあるんだろう。——どうして、そんなにぶったまげているんだ。女の＊＊＊を見たこともないってのかい？」

思いきり強烈な言葉をはなつと、女は、ひょいと今度は、地面から、さっきのタールの名残のようなものをひろいあげた。それは、半透明の、墨色の薄い布と化してそこにころがっていた。女はそれを腰のまわりにまきつけ、それから大きく足をひろげて股間を通すと、その先端をぐるりと腰にまいた布の内側に通して、余った部分を前にたらし、それからその先端の長すぎたところをべりべりと手ではがしとった。

「なら、これでちょっとは落ち着いたのかい？　使徒様——ミロクの使徒様。せっかく、ミロクの聖姫がお迎えにあがったっていうのに、そんなに仰天した、それこそククーが豆鉄砲でもくらったような顔をしてばかり——もっとも、もっとちゃんと礼儀どおりにしてほしいというのなら、まずは御挨拶だね。すまないね——あたしも、ミロクの聖姫なんていう偉いものになってから、まだ日が浅いもんだからね」

黒い女の分厚いぼってりとした唇が、にっと耳まで裂けるかと思われた。女はようやく腰のまわりに布をまきつけたはだかのまま、ばか丁寧に、ヨナにむかって膝をつき、お辞儀をしてみせた。

「ミロクの使徒ヨナ・ハンゼ博士、あたくしはミロクの聖姫の称号を、ミロク様の代理たる大導師カン・レイゼンモンロン様よりたまわり、いまではミロクの使い姫ジャミーラと名乗るもの。本日は、ヨナ博士を、大導師及び五大師の御命令により、ミロクの神殿にお連れ申すべく、お迎えに参りましてございます。――こんなとこでいいかい」

くくくくく――と、おかしくておかしくてたまらないのを、無理矢理我慢していたかのように、《ミロクの使い姫ジャミーラ》と名乗った黒い女は笑った。艶やかに照りのある、みるからに肉の張りつめたその腹が、女の笑い声に呼応して、ぶるぶるとふるえた。

「ミ――ロクの使い姫……ジャミーラ……？」

ヨナは思わず、フルイたちと目をみあわせた。フルイも、ほかのものも、いったいこの事態にどう対処していいのか、なすすべを知らぬ、というように見えた。

「何を、きょときょとしてんだい、じれったいねえ！」

いきなり、ジャミーラが怒鳴るように云った。

「ああもう、草原の男っていうのはそんなにじれったいのかい！　それとも、パロの男はもっとなのかい。いや、あんたはパロじゃなく、沿海州の生まれなんだと大師様が云ってた。じゃあ、じれったいのは沿海州の男なのかな。――なんだっていいや。あたしのお役目はとにかく、あんたを、攫《さら》おうとどうしようとかまわぬから、ミロク大神殿へ連れかえって、超越大師様のもとへお連れすることだ。それ以外はどうだっていいんだ。どうするね？　あたしといっしょにおとなしく歩いてヤガまで戻るかい。けっこう距離があるから、あんたのその弱っちそうな足じゃあどうにもなるまい、だったらしょうがない。あたしが背負ってゆくか、遠くへ放り投げてあたしが受け止めてまた放り投げるか……でもそんなことをしたら、目をまわしちまいそうだねえ。それに受け止めそこねたら、ピシャっとつぶれっちまう。そうだねえ、しょうがないから、あたしに乗ってゆくかい。あんたにとっちゃあまり乗り心地がいいわけじゃないかもしれないけど、少なくともあたしに乗ってみたくはあるだろ？　男だったら、誰だってあたしに乗ってみたいのさ。ヒャーハッハハハハ！」

ジャミーラは相当に下品な笑いにむせた。

騎馬の民は、フルイの目くばせで、しだいに少しづつ、ヨナのまわりに円陣を組みはじめていた。すでに、この怪物の目的がヨナの拉致であることは明らかであったし、スカールの命令が、「なにものにも決してヨナ博士を渡すな」であったことも、かれらにとっては絶対であった。

（もうじき、タミルたちの援軍がくる）

フルイがそっと唇をほとんど動かさずに囁いた。

（それまで、とにかく――この化け物女がどのような力をもっていたにせよ、決してひるまず、ヨナ様を渡すな。たぶん……このようすから見ると……）

どこからどう見ても、この驚くべき出現のしかたといい、その巨大な人間ばなれした体軀といい、この《女》が、普通の人間でありえないこと、それも相当な怪物であることは明らかであった。おそらく魔道の力をも、かなり使うのだろう、ということは、そのタールのかたまりから出現したしかたでも、察せられる。だが、じっさいに、どのような力を持っているものかは、見当もつかぬ。

「さあ、こっちにおいでよ。ヨナ博士――ヨナ博士ってのはあんただろ。だよな。あんただけほかの奴とまったくつらつきが違ってる。なんだかなよっちいけど、でも色が白くてキレイじゃないかい。あたしゃ、キライじゃないよ――あんたみたいな、なよっちいけどキレイな男はキライじゃないよ。だからって、大導師様方が、あたし如き下っぱに、ミロクの使徒を食わせてくださるかどうかは、請け合えないけどさ。たぶん食わせてくださるどころか、味見だってさせちゃ下さるまい。いつだってあいつらは、てめえ勝手なんだから――おっと、いやいやいや、そういうことを云っちゃあいけないんだった。あたしらは、神聖なミロクの使わしめなんだった」

けけけけけけ——とジャミーラが笑った。

「とにかくここのところ忙しいっちゃなかったからね。だがもう、あっちのほうはすっかりすんだんだ。だから、このあとは、安心してこっちに専念できる——と超越大師様が仰有っておいでになる。さあ、早くおいで。どうせ、そんなまわりの連中なんか、あんたを守ろうといったって、指一本出せやしねえ弱蔵ばかりだよ。だから、いらん殺生をこのタ——おっとっとジャミーラにさせないで、早くこっちにおとなしくやってくるんだ。ミロク大神殿では、皆様が、お偉い博士様の学識にふれたいと、膝を揃えてお待ちかねなんだからね！」

「フルイどの……！」

ヨナは低く叫んだ。

「この女の目当ては私だけだ。だったら、この女がどのような力を持っているかわからないが、下手にあらがわないで、私がおとなしくついてゆけば、きっと何事もなくてすむ。そのあとで、あのかたに話をして、なんとかことを打開する方策を探して下さい。そのほうがきっと……」

「何もおっしゃいますな」

フルイがきっとなって云う。そして、腰の剣を抜きはなった。

「私どもの役目は博士をお守りすることなのですから」

「フルイ！」

ふいに、騎馬の民のひとりが叫び声をあげた。

「あれは何だ！」

「う――ワッ！」

そちらを見やって、思わず、騎馬の民たちは悲鳴をあげた。

おびただしい数のガーガーはいつのまにか、ジャミーラの周囲からはなれ――そして、もうちょっとはなれた農道のまんなかあたりに集結していた。

そのあたりに、ようやくそこまで駆けつけてきたらしい、タミルたちの一群がいた――タミルたちであることは、マントの下からこぼれる騎馬の民特有の衣裳の色あいで明らかであったし、そのようすも、このあたりの農民ではありえなかった。

だが、起こっている事態は凄惨であった――ガーガーたちが、いっせいに、タミルたちに襲いかかっていた。

タミルたちは、フードをかたむけ、必死に剣をふりまわし、顔をガーガーに向けまいとしながら、剣でなんとかしておぞましい巨大なガーガーどもを切り払おうと戦っていた。だが、ガーガーの数はあまりに圧倒的であった。激しくそのぶきみにとがったクチバシで攻撃され、悲鳴をあげ、顔をおさえ、目をおおってうつぶせに倒れるもの、ついに急所を突かれたか、もんどりうって畑の上をのたうちまわるもの――

血がしぶき、ガーガーの黒い羽根が切り取られてぱっと舞い上がる。ガーッ、ガアッ、というすさまじいガーガーどもの声が、タミルたちの悲鳴をかき消さんばかりに響きわたる。

「うわあッ！」

フルイは悲鳴をあげた。

「助け――助けなくては！　いや、しかし、ヨナ博士からはなれることは！」

「駄目です、フルイ！　いまわれわれがいっても、とうていこの人数じゃあのガーガーどもにかないっこない！」

ハルが泣き叫んだ。フルイは絶望と恐怖に見開かれた目で、どうしたらいいか、救いを求めるようにあたりを見回した。

「えい、じれったいね！」

それへ、ジャミーラの叫びが飛んだ。

「あいつらはガーガーのエサにさせておおきよ！　それともお前らもそうなってみるかい。それとも大人しくヨナを渡すのかい。だったらよし、まだいのちだけは助けてやってもいいが――手向かうのかい。さあ、あたしは急いでるんだ。どうする気なんだい！」

「あ――ああッ……」

フルイは、絶望的な声をはりあげた。

「タミル！」

叫ぶなり、剣をふりあげ、いきなり、無謀にもジャミーラにむかって突進した。

その、刹那であった。

「おや、手向かうんだね。生意気な」

いきなり、ジャミーラの足元から、黒いタールが、地面からしみ出してきて、それ自体命ある軟体動物であるかのようにフルイに襲いかかった！

「ギャーッ！」

それはまっこうからフルイの顔を襲った。いきなり頭と、そして体の前半分をその黒いタールに覆われて、フルイは剣を投げ捨て、かきむしるようにしてそれをとろうとした。だが、それはぴたりと張り付いてフルイの顔を覆い尽くしてしまった。

フルイがのたうちまわりながら、窒息して息絶えてゆくのを、茫然と仲間たちは見つめていた――が、いきなりハルがそれを救おうとフルイに飛びかかり、タールをひきはがしにかかった。

とたんにこんどはそのタールがさらに分裂してハルに襲いかかってきた。それを見たとたん、さしもの騎馬の民も崩れた。

「助けて――助けてくれ！」

「化け物だ！」

悲鳴をあげて逃げようとするかれらの足元から、次々と黒いタール状の怪物が盛り上がってくる。

瞬間、ヨナのからだは、かるがると宙にからめとられるようにして、ジャミーラの砲弾のような胸に引きずり寄せられていた。

第二話　悪夢の襲撃

1

「ローラさま。――ローラさま」

低く声をかけられて、「ローラ」と名乗っているフロリーははっと顔をあげた。熱心に、頼まれものの縫い物にいそしんでいたのだ。足元では、スーティがなにやら小さいナイフで木ぎれをけずって、何かを造形するのに余念がない。

「わたくしでございます。先日来何回かお伺いいたしました、パロからきたサリウでございます」

「ああ……」

「失礼いたします」

これはいたって尋常に、いかにも巡礼が小さなフロリーの店をおとずれた、という格好で、ドアがわりにかけてあるカーテンをひいて、するりと、黒いすがたがすべりこんできた。

「いらっしゃいませ。ちょっと散らかっておりますけれど、いま片付けますわ。お食事でしょうか？」

フロリーはサリウが魔道師であるとはまだ知らない。ただ、何回か店にやってきて、妙に丁重に自己紹介をした、奇妙な客、という意識で覚えている。スーティはその《仕事》から顔をあげたが、これはあまり興味のないやつだな、と決めると、また熱心に自分の作業に戻った。スーティはかなり手先が器用で、心配しいしいフロリーが与えた小さな小刀で、木くずを刻んで人形を彫ったり、鳥のかたちらしきものを作ったりするのが、こんな小さい年齢の子供としてはずいぶん上手である。刃物を扱っても、落ち着いていて慎重なので、あまりあぶなげがない。

「いいえ、そうではございませぬ。——ローラさま、実は火急にお話しなくてはならぬことがございます」

「まあ、何でしょうか？」

「実はこれまで、申し上げそびれておりましたが……わたくしは、サリウと申す、パロからきたものでございますが、その実は、パロ、ヴァレリウス宰相閣下から御命令をうけて、フロリーさま親子をかかげながら護衛するお役目を引き受けた、パロの魔道師でございます」

「まあ」

フロリーは一瞬、どう反応しようかと迷った。

それから、いまさら驚いてもしかたがない、と決めて、かるく細い肩をすくめた。

「そうでしたか。それは――」

「ヴァレリウスさまが、フロリーさまは、おそらくヤガの人々のなかにとけこんで生活されたいであろうから、護衛についていることは知らせないようにと申されておりましたので、これまでは店の客のようにふるまっておりました。しかし、ヴァレリウスさまからつい昨日頂戴した御命令がありまして、また事情がいちだんと切迫してまいりまして……」

「事情が切迫？」

フロリーは眉をひそめた。

そして、このようなことをしている場合ではなさそうだ、と判断したので、いそいで縫い物をとりまとめて、籠のなかに入れた。

「それはどういうことですの？」

「はい。わたくしは、ヴァレリウスさまの御命令により、お二人をお迎えに参りました。――というか、ある程度正直に事情を御説明しなくては、フロリーさまは納得なさるまいということで、申し上げますが――実は、現在、パロの都クリスタルには、ゴーラ王イシュトヴァーンさまが御滞在になっておられます」

「……………」

フロリーは一瞬、黙ってぎゅっと両手をスカートの上で握りあわせた。

だが、そのくちびるはきゅっと結ばれただけで、何も云わなかった。

「そして、イシュトヴァーン王陛下が、実は、フロリーさまと、ご子息のスーティさまのことをお知りになりまして……ぜひとも会いたいと、ご要望になっておられるのです」

「それで、迎えにいらしたというの？」

フロリーはちょっと、おとなしやかな眉をさかだてた。

「そういうことでしたら、わたくし、参りませんから。それだけは申し上げておきますわ。わたくしは、イシュトヴァーン陛下とお目にかかるつもりも、スーティを陛下にお会わせするつもりも金輪際、一生かけてございません。もしそういうことでサリウさまがわたくしども親子をお迎えにこられた、ということでしたら、申し訳ございませんが、御一緒に参るわけには参りません。ご断念下さい」

「いや、そうではないのです」

サリウはこの当然の反対は予期していた。急いで続けていう。

「ヴァレリウスさまも、フロリーさまがそうおおせになるだろうと——そもそも、フロリーさまが、イシュトヴァーン陛下から、お二人の所在を隠すためにこそ、パロを出られたのだ、ということはよくご承知であられますし、それについて賛成もしておられます。ですから、私がお二人をお迎えに参ったのは、イシュトヴァーン陛下のご要請でお二人をクリスタルにお連れして、イシュトヴァーン陛下とのご対面を果たすため、ではございません」

「ならば、どのような？」

「そのむしろ逆とお考えいただいたらよろしいかと——」

サリウは声を低めて云った。

「実はイシュトヴァーン陛下は——これは誓って申しますがヴァレリウス閣下のせいではございません。ヴァレリウスさまが情報をもらされるまでもなく、イシュトヴァーン陛下が、御自分で、『フロリー親子はヤガにいるのだろう』と推理されてしまわれたのです。——そして、ただちに、お二人をお迎えになるために、御自身で、少数の兵のみを率いて、ヤガへ向かわれると……」

「あのかたが、ヤガへ？」

こんどは、フロリーは蒼白になった。あわや、倒れそうになって、テーブルのはしを握り締める。

スーティは母の異変に気が付いた。それが、やってきた巡礼姿の《からす》がもたらしたものである、ということもとっくに気が付いている。が、ただそれだけではないらしい、とも察して、小さな声で「ぶー!」とサリウをさりげなく威嚇すると、自分も《仕事》を中断して、母の真似をして貰った小さな箱のなかに作りかけの木ぎれとそのくずを丁重にしまいこみ、そして大の自慢の宝物である小刀をきちんと拭って鞘におさめると、腰のベルトにもったいぶってさしこんだ。そして、木の椅子からすべりおりて、とことこと母のかたわらに寄ると、「母様に何か悪さをしたらただではおかないど!」という意気込みもあらわに、母をかばうようにそのそばに寄った。

そのスーティの様子は思わずフロリーを微笑ませたが、このさいはそれどころではなかった。フロリーはそっとスーティの頭に手をのせると、かるくひきよせるようにしながらサリウのほうへ身を乗り出した。

「それは、本当のことですの。あのかたは、ヤガにわたくしがいると確信しておられますの。だったら、わたくし、すぐにヤガを出なくてはなりません。あのかたは行動力と実行力にきわめてあふれたおかたです。ヤガにおいでになれば、おそらくただちに、わたくしの行方くらい、探し当ててしまわれるでしょう」

「そのように存じましたので、わたくしがお迎えにあがりましたようなしだいで」

サリウはうなづいた。

「わたくしの仲間が数人、馬車を用意してお待ちしております。いますぐにでも、荷物をまとめて、ヤガを出ていただくのがよろしいかと思います。どちらに向かわれ、またどこにどのように身を隠されるかにつきましては、また、わたくしを経由して、ヴァレリウス宰相と、クリスタルとの心話で相談なされることも可能でございます。ともかく、ヤガは一刻も早くお出になりませんことには」

「そうでしたの。わかりました」

フロリーは話が早かった。

これまでも、何度となく、そのような、「いますぐここから出てゆかなくてはならない」という局面にはぶつかってきたのだ。それが、一見いかにもおとなしくてつつましやかで、内向的に見えるフロリーを、実際には、きわめて決断の早い、大胆な行動をする女性に育てていた。フロリーはそれ以上何も聞き返すことなく、すばやく立ち上がった。

「荷物をまとめます。ちょっとお待ち下さい。スーティ、良いこと、母様のお話をよくきいてね。私たちは、ヤガにいることが出来なくなったのよ。だから、また、私とティティは旅に出るの。いまからお荷物をまとめるので、ティティも自分のどうしても持ってゆきたいものだけ、袋のなかに入れるのを、お手伝いしてちょうだい」

スーティは、この唐突な話にもべつだんびっくりしたようすはなかった。

スーティの短い、まだようやく三年、というだけの人生のなかでも、すでにもう、何回となくスーティはそういう目にあってきたのだ。それゆえ、スーティもまた、「人生とはそういうものだ」という認識を持っている。いますぐ、荷物も、ずっと母と暮らしてきた懐かしい家もあとにして、見知らぬ国へ出発するのだ、といわれても、べつだん、何のとまどいもなかった。

「はい、母しゃま」

スーティは答えるなり、奥にかけこんでいった。フロリーはサリウに軽く頭をさげた。

「ではわたくしも荷造りをしてまいりますから少々お待ち下さい。もっとも、本当に身のまわり品だけですから、ものの十タルザンもあればすむと思いますけれども」

「本当に必要なものがあれば、わたくしどもがあらためて調達いたしますし、あとでとりに戻ることも出来るかと思います。なるべく、お荷物は少なく」

「わかっています。それにしても大家さんにだけはなんとか、こんなに急にすべてを捨てて出発することについて、筋の通ったお話をしておかなくてはならないわ。そうしなければ、逆にかえってあやしまれてしまうでしょう」

「それは……」

サリウはしばらく考えこんだ。だが、このさい、どう考えてもフロリーのことばが正しく思われた。

「それに、お家賃のこともありますしね。わたくし荷造りがすんだら十タルザンだけ頂戴して、大家さんに、なんとか口実を作って――故郷の母が急病でもう明日をも知れないという使者がきたとか、そういう話で――また戻ってくるけれど、とにかくただちに旅立たなくてはならないという話を作って説明してまいります。とてもよくして下さるいいかただし――そういう話ならたぶん納得して下さるでしょう。では、ちょっとお待ち下さいね」

てきぱきとフロリーが奥のすまいのほうに入ってゆく。サリウがそれを見送っていたとき、すっとカーテンがあいて、店のなかに、巨大な黒いガーガーのような影が入ってきた。

「俺だ」

言葉は短い。それはおもてで待っていたスカール太子であった。

「女は、納得したのか」

「はい、ただいま、旅支度をまとめて、それと大家のかたに一応説明をしてくると云われまして、そのご用意に」

「なかなか、話の早い女のようで、助かるな」

「はい」

「突然そのような話をふられて、そうきっぱり、きびきびと行動出来る女はそうそうはおらぬからな。草原の女のような女だ」

「は……」

「俺のことはまだ説明してはおらぬのだな？」

「はい。御当人からのほうが、よろしいかと存じまして……」

「ウム。――それにしてもヨナのほうが気になる。無事にうちのものどもと合流していればいいが……」

ひそひそと話しているのを聞きつけたように、フロリーが、小さくまとめた荷物の袋と、旅用のフードつきコート、それに手もちのさげ袋を持ったすがたで奥からあらわれた。さきほどはいなかったスカールを見て、一瞬、びくっとひるんだようすを見せる。

「フロリーさま、御心配はいりませぬ」

いそいで、サリウが声をかけた。

「こちらはもとアルゴスの黒太子スカールさま、このたびは、私どもと力をあわせ、フロリーさまのヤガ脱出をお手伝いしてくださるためにここにおいでになっておられます。そう、先日、このお店にこられたという、パロ王立学問所のヨナ・ハンゼ博士と、スカールさまは御一緒にヤガにこられたのでございまして……」

「アルゴスの黒太子スカールさま……？」

驚いた表情で、フロリーはつぶやいた。

「もちろんお名前はうかがっております。そのような、お偉いおかたが、わたくしなどのために——？」

「お初にお目にかかる。フロリーどのだな」

スカールはフードをはねのけ、精悍な、だが髭をずっと剃り落としている分かなり平生よりは若々しく見える顔をあらわにした。

「俺はもともとはイシュトヴァーンの宿敵として行動していたが、ひょんなことで、このほど草原で危難にあっていたヨナ博士を助けた。そして、それが縁となって、ヨナ博士ひとりでヤガに潜入しようとしていたのを、それではあまりに危険であろうと、ヨナどのの道連れとなってともにヤガへ来ることになったのだ」

「まあ」

フロリーはふいに思いあたって叫んだ。

「では、ヨナさまのおっしゃっていた、旅のお連れさまというのは——スカールさまだったのですね？」

「そう、俺だ。ヨナは——いささか、具合の悪いことがあって、先に俺の部の民をつけてヤガを脱出するようはからせて、先にやってある。フロリーどのと坊やには、いますぐそれを、俺とこのサリウ魔道師ともども追って、そしてそちらと合流し、俺の部の民とサリウの部下の魔道師に守られて、ともかくもヤガを無事に脱出してほしいのだ」

「ヨナさまに、何かありましたの？」

不安そうにフロリーは云った。そのとき、ちょこちょことスーティが、自分の荷物をまとめた小さな袋をひきずり、自分のかわいらしい小さな、フロリー手作りの旅行用フード付きマントを着て入ってきた。

スーティは一瞬スカールを見てぎょっとしたような顔をした。だが、すぐに、母を守る——という自分の《本来の使命》を思い出したので、腰の小さな小刀に生意気にもかるく手をかけながら、すすみでた。

「わるもの？　わるものか？　母しゃまにわるいことしたら、ただでは——ただではおかないじょ」

「これはこれは」

スカールは吹きだした。それがイシュトヴァーンの血をひく子供だ、ということはいやというほどわかっていたから、最初にスーティを見たときから、スカールのなかにはかなり複雑なものがあったのだけれども、スーティのそのことばが、すっかり、はからずもスカールの気持ちをほどいてしまったかのようだった。よほど、スカール以上にその子の父親を憎んでいたとしてさえも、小さな胸をそらせ、腰のちっぽけな小刀に手をかけて、勇ましくこちらをにらんでいるそのようすを見たら、思わず微笑まずにはいられなかったに違いない。

「これはなかなか威勢のよい坊やだ」

「これ、スーティ。このかたはとてもお偉いおかたなのよ。そんなことをしないで、ちゃんと御挨拶なさい」

あわててフロリーが云った。スーティはうさんくさそうにスカールを眺めていたが、ふいに、何に思いあたったか、にっと笑った。

「スーティ、でなくててぃーてぃでしゅ。どうぞよろしく――ええと、みろくのみめぐみがはらからの上にありますように」

「これはこれは、正式の御挨拶いたみいる。だが、おじさんはミロク教徒ではないのでな。――おじさんは、騎馬の民の長、スカールというものだ。今後よしなに頼むぞ、坊主」

まだ、その胸中には、いささか複雑なものを抱いてはいたが、スカールは笑って手をさしだした。スーティはじろじろとスカールと、その差し出された大きなごつい手を眺めていたが、きげんよく、近づいていってその手を握った。

「きばのたみ？　おうまにのってせんそうするひと？　おじちゃん、つおいの？」

「それはもう、このかたは、中原で一番強いおかたのおひとりでいらっしゃいますよ」

店には客として何回かやってきて、一応スーティの顔なじみにはなっているサリウが説明した。スーティの目が輝いた。

「おいちゃんつおいんだ。ひょうのおいちゃんとどっちがつおい？　ひょうのおいちゃん知ってる?」

「グインのことか。おお、知っているとも、坊主――だが、どちらが強いかは、これは決められないな。おじさんは、グインとは友達だから、戦わないのだ」

「おいちゃんひょうのおいちゃんのおともだちか!」

ますます、スーティは目を輝かせた。そして、すぐに、スカールに気を許したようだった。

「じゃあ、てぃてぃもおともだちだ。てぃてぃもつおくなるんだ。ひょうのおいちゃんくらい」

「これは頼もしい」

「スーティ。母様たちはとても忙しいのよ」

心配してフロリーが口をはさんだ。

「これからすぐにここを出なくてはならないのよ。――その前に、裏の大家さんのおうちに御挨拶にいってきましょう。急がなくてはいけないのでしょう?」

「そうしてもらったほうがよいようだ」

スカールはうなづいた。

「というのも――ヨナの身に迫った危険というのは、おそらくあなたもご存じだと思うが、例の――最近ヤガにはびこってきはじめている《新しきミロク》という連中、その連中のなかのひとりの家に我々は何も知らずに寄宿していたわけだが、それが、その宿主がついに正体をあらわし、ヨナをミロク大神殿に連れ去ろうとした。ヨナを《新しきミロク》の幹部たちに会わせる――そして、《新しきミロク》の幹部になってほしい、というような話なのだが、とてもうさんくさくて、どうやらそこに大きなたくらみがあると思われるのだ」

「まあッ」

フロリーは蒼白になった。

「ヨナさまは――ヨナさまは御無事なんですの？」

「いまのところはな。俺の部下をつけてとにかくもヤガから逃がしたゆえ、うまくいっていれば、いまごろは郊外で俺の部下の残りのものたちと合流し、無事に俺たちの到着を待っているはずだ」

「そうでしたの――わたくし、大家さんたちからもいろいろとききまして、《新しきミロク》のことは、どうもあやしいとずっと思って参りました。やっぱりその人たちは何か悪い人たちだったんですのね？　わかりました。では大家さんたちにはとにかく手短かに挨拶だけけして参ります。そして、すぐにでもここを出ましょう」

「弱々しく見えるが、案外にしっかりしているな」

スカールは褒めた。

「だからこそ、このように坊主がしっかりしているのだろうな。この子はもう四歳くらいになるのか？」

「いえ、三歳になったばかりですの」

「そのわりには、えらくしっかりしているように見える。いずれ大物になるに違いない――まあ、そうだな。父は父――父親が誰であろうと、そのふところで育ったわけではなし……その血をひくからといって、俺が――」

スカールは何かをふっとふりきるように首をふった。

「俺が、その子や、その子の母までを――宿敵と考える理由は何もないわけだな。ましてや子供には何の罪もない。――よかろう。ともかく、お前たちを無事にヤガから脱出させてくれ、というのはヨナの切実な頼みでもある。それゆえ、俺はこうして、いささかの危険をおかしてヤガ市中に駆け戻ってきたのだ。正直のところ、俺はヨナを逃がすために、いささかの危険をおかした。《新しきミロク》のものどもはもう、いまとなっては俺とヨナをとらえるために手の者を市中に出している可能性が十二分にある。というより、少なくとも躍起になってヨナを探しているのは確実だ。それゆえ、一刻を争うのだ。大家には、どうしても挨拶したほうがよいか。よいなら、いますぐすませてくれ」

「そうですわね……」

フロリーは一瞬考えた。

「そういうことでしたら、かえって大家さんに御迷惑をかけたりするかもしれませんから、何も云わないほうがいいのかもしれません。わかりました、ちょっとではお時間を下さいな。ほんの五タルザンで結構です。わたくし、大家さんに簡単に、故郷の母がたおれたので、至急戻らなくてはならないが、いずれまた詳しいことは便りをするし、また戻ってくるつもりなのでそのままにしておいてくれ、と置き手紙だけ書きます。今月の家賃はもうすんでいますし、借りもありませんから、それで納得してくれれば大家さんも問題はないでしょう」

「それはよい考えだ」

スカールは云った。そして、フロリーが手早く手紙を書き上げるのを、じっと見守っていた。

スーティも、同じように母が手紙を書いているのをじっと見つめていた。サリウは心配そうだった。

「なんとなく、何かの気配がひたひたと近づきつつあるのを感じるような気がいたします」

サリウはスカールに囁いた。

「なるべく早く、ここから出たほうがよろしいかと思います。なんといっても、ここはミロク大神殿にあまりに近すぎます」

「わかっている。だからこそ急いでいるのだ」

「これでいいと思いますわ」

手紙を書き終わり、フロリーはそれを目立つようにテーブルの上にのせて、その上に風で飛ばぬように茶碗をのせた。

それから、手早く、店の厨房に入っていって、そこにあった焼き菓子やガティのパンの残りなどをかごにさらえこむと、上に飲み物が入っているらしい小さな容器をのせて、その上から布をかけてくるみこみ、さいごに壁にかけてあったミロクの聖画像をとりはずして、くるくると丸めて荷物の袋のなかにつっこんだ。

「さあ、これでよろしゅうございます。お待たせいたしました。参りましょう。ゆきましょう、スーティ。忘れものはないわね？　もう、ここには戻れないのよ。どうしても持ってゆきたいものがあったらいまのうちにとっておきなさい」

「……………」

スーティはちょっと事態の推移に圧倒されてしまったかのように、小さくうなづいただけだった。

「では、参りましょう。よろしくお願いいたします、スカールさま、サリウさま」

「ああ。俺はなんとしてでもおぬしら親子を無事にヤガを脱出させ、そしてヨナたちと合流させてやろう。おもてに馬車が待っている。とりあえずそれで行けるところまでヤガの中心部をはなれよう。どこまでゆけるかは知れたものではないが、ともかくいってみよう。行くぞ。ついてこい」

2

そのようなわけで、サリウが突然にフロリーの小さな店を訪れてから、ものの半ザンくらいしかたたぬうちに、フロリーとスーティはまことに素早くきびきびと立ち回ったので、ごくごく必要なものの荷造りだけをすませ、わずかなあいだではあったが住み慣れたわが家をあとにして、スカールがおもてに用意させておいた馬車に乗り込むことが出来たのだった。

これは、説得に手間がかかるか——と案じていたスカールにしてみれば、上等の上出来の首尾で、それでスカールはたいへんに機嫌がよかった——もっとも、このような緊迫した状況下で許すかぎり、ということではあったが。

「お前は、なかなか、役にたつ女だな、フロリー。使えるぞ」

馬車がさっそく大通りを走り始めると、スカールは褒めた。スカールは目立つので、馬車はサリウが御し、御者席にはもうひとり、スカールがつれてきた騎馬の民のタン・ターが乗ってあたりに目を配っていた。スカールはあと二人の部下を連れてきていたので、それは馬に乗ってあとからさりげなくついてきていた。もっとも、さりげなくといっても、ヤガでは馬車は荷馬車が中心であったし、騎馬でヤガの通りを抜けてゆくようなものはほとんど見あたらなかった――巡礼たちはみな徒歩であったからである。それを考えて、スカールは、部下たちに手に入れる馬車もちゃんと荷馬車に見えるものを用意させて、荷馬車の荷台の前に小さな乗り合い座席のある、ヤガではこれはそれほど珍しくないものを使わせるようにした。二人の部下たちのほうは、馬にやはり小さな荷台をひかせて、むしろをかけた見せかけの荷物を積み、それを運んでいる荷車のように見せかけていた。

そのために、それほど速度はあがらなかったが、それでもスーティを連れて徒歩で脱出しようとすることを考えたら、よほど早かったに違いない。それに、スーティをあまり人目にかけることもはばかられた。

「恐れ入ります」

フロリーはちょっと頬をそめてうつむいた。

「お前はモンゴールの女だったな。モンゴールの女などというものは、気が荒いばかりで、いっこうにものの役に立たぬやつばかりかと思っていた――といって、それほどモンゴールの女を大勢知っているというわけでもないのだが。だがお前はなかなかにものごとの機微もわきまえているようだし、愚図愚図とうるさいことも云わぬ。お前のような女が道連れで、助かったと云わねばなるまい」

「過分のおことば、恐れ入ります」

「それに、お前の息子だ」

スカールはうすく笑った。

「お前は知るまいが——俺にしてみれば、この、お前の息子を助け出すことになる、などというのはあまりにも皮肉な成り行きで、ヤーンの皮肉としかいいようのないてんまつだったのだが、息子をひと目見て、考えが変わった。——たとえ父がどうあれ、息子は息子だ。お前は、この子が可愛いのだろうな」

「それはもう、わたくしにとって、いまとなりましては、たったひとつの生き甲斐でございます」

「父親の生きがたみとしても、だろうな」

「いえ……」

フロリーはちょっと考え、それから首をそっとふった。

といって、別に、スカールとイシュトヴァーンの確執については、フロリーこそ何も知らなかったので、そのいらえは、ことさらにスカールに媚びようとするものではなかった。

「もう、この子の父が誰であったか——というようなことは、まったく考えなくなりました。――それはどちらにせよ、ひと夜かぎりのはかないえにしでございましたし、この子がそのとき宿りましたのも、ほんの偶然といえば、そう云うしかないものでございました。――それでも、この子がいてくれたからこそ、あたくしはこれまでこうして、強い気持で生き延びてくることが出来ましたし、この子のためにこそ、生きよう、生き続けようと思うこともできました。――ですから、わたくしは、いつなりと、この子のためにいのちをかけようと思います。――この子は、わたくしにとっては、たったひとりの宝物でございますから」

「……………」

そのフロリーのことばは、スカールの心をかなり打ったらしく、スカールは重々しくうなづいたきり、何も云わなかった。

スーティはスカールとフロリーを見比べてなんとなくあやしげな顔をしたが、決してスカールが大事な「母様」を苛めようとしているわけではない、ということはなんとなく納得出来たらしく、ちょっと唇をとがらせて、小さな声で、（ぶー）とつぶやくにとどめた。

その間も馬車は順調に、このあまりものごとが早回しには展開しない都の大路に可能な限りの早さで、ひたすらミロク大神殿をあとに、北へ、北へと向かって走っていた。

そのあとを部下たちの二台の荷馬車がついてくる。

スカールはわざと、大通りから大通りへの、人目の多い道を選ばせていた。サリウがかなりヤガの地理に詳しかったので、それは比較的簡単なことであった。大通りは相変わらず今日も巡礼たちが多く訪れ、びっしりと黒づくめのガーガーの群れのような陰気な連中が道のはたをのろのろとうつむきこんで歩いていたが、逆にそうして大勢の人目があれば、あまりに無法なことは《新しきミロク》の連中といえども出来まい。ましてその人目はかれら自身がおのれの味方にひきこもうとしているミロク教徒たちであるから、その目の前で無法や残虐なことは出来ないだろう、というのがスカールの判断だったので、それでスカールはあえて、人目の少ない細い通りを避けて、たとえそのかれらの動静がイオ・ハイオンたちにばれてしまうとしても、とりあえず手を出しにくいであろう大通りをねらったのであった。

もしもかれらが襲ってきたとしても、部下たちと合流出来ればもう、人目のない郊外の森や林のあたりでなら、存分に戦える。スカールもうすでに腰にしっかりと、預けてあった愛用の剣を帯びていたし、部下たちもマントのなかに剣を隠している。サリウは、多少の乗り心地の悪さは勘弁してもらうことにして、ひたひたと馬車を走らせていた。

サリウは相当に神経質になっているようであった。

「あやしい気配が、ヤガを包囲しているのを感じます」

馬車に乗り込んで、いざ馬車を出すとき、サリウはスカールに、フロリーたちを心配させぬよう小声で囁いたのだった。

「なんだか、よくその正体はわかりませんが——ことに、北のほうになんとなく、ざわざわとした、不吉なおびただしい《何か》の気が感じられます。——何かものすごく沢山の凶々しいものが集まってきつつあるような——それがかなり心配です」

「かれらも、おそらく俺たちを無傷ではヤガから出してくれまいとしているのだろうさ」

スカールは低く言い返した。

「それはもうはなから覚悟の上だ。なみたいていのことでは、ヤガから脱出は難しいだろう。もし万一、きゃつらがこの親子の素性についてちょっとでも知識をもってしまったとしたら、もっと難しくなるだろうよ。だからこそ、俺がきたのだ。俺以外の人間では、おそらく、まったく、ヨナもフロリーたちも、無事にヤガから連れ出せるとは俺は思わん」

「…………」

サリウはおもてをひきしめたが、そのまま、御者席に這い上がり、おとなしく馬車を出したのだった。

だが少なくともいまのところは、馬車は順調に都大路を駆け抜けていた。馬車が通ると、巡礼たちは露骨に迷惑そうなようすをして道をよけ、大仰に、道の端へと身をよけたが、めったに車の通らない通りとあれば仕方なかった。それに、ともあれ大人しいミロクの巡礼たちであるから、文句をいったり、怒鳴ったりしてくるようなことはまったくない。むしろ、一応すすんでよけて道をあけてくれようとするものも多い。

だが、今日はどういうわけかことに巡礼の数が多いように、スカールには感じられた。いつもこの通りは、ミロク大神殿に向かう巡礼たちで混雑してはいるのだが、今日は、まるで、道という道がすべて巡礼で埋め尽くされているかのように、巡礼の数が多い。

それも、しだいに増えてくるようだ――スカールはカーテンをかきのけて窓からようすを眺めながらひそかに、フードの奥で眉をしかめていた。

（これも、きゃつらの手かもしれんし――それに、これ以上増えてくると……）

すでに、道はもう、ミロク大神殿にまっすぐ向かう大通りではなく、そこから右にまがって北に向かってゆく、スカールは名前を知らぬが大神殿通りと同じくらい幅の広い、両側にはやはり《兄弟の家》らしい灰色の建物や、ミロク教徒関係の品々を売っている店、それに食べ物や飲み物や着るものなど生活必需品を商っている店がずっと並んでいる。そのあいだに、建物数軒おきくらいに、細い路地が両側にのびている。

スカールがそっと窓からのぞいていると、その細い路地から、するりと数人の巡礼が出てきて、ミロク大神殿へ向かう行列に加わる。

また、少しゆくと、またぞろりと巡礼たちが出てくる。その数が、気のせいかしだいに増加しているようだ。

「おい」

スカールは、窓から首を出し、サリウに向かってそっと声をかけた。

「大丈夫か。なんだか、巡礼たちがえらく増えてきたのじゃないか」

「私もそう思います。しかし、魔道を使って道をあけさせると、まずいですよね」

サリウも、こちらは御者席でずっと、町の動静を見ているだけにかえってスカールよりもその思いは切実だったらしく、低くいらえをかえした。

「ああ、それはまずいだろう。ここで魔道を使うとさまざまな波動をおそらく感じ取られてしまうのではないかと思うぞ。なんとか、このままとにかく中心部は抜けるように頑張ってみてくれ」

「わかりました」

サリウはうなづき、また熱心に馬を御するほうに注意を集中しはじめた。

だが、またしてもぞろり、ぞろりと路地から巡礼たちが出てきた——かなり先のほうの路地から出てきた巡礼たちが、みな、黒いフードつきのマントの頭をかしげてうなだれたまま、道のまんなかまで出てきて、ミロク大神殿のほうへ向かってくる。いつのまにか、それは、このかなり広い大通りを、黒いガーガーの群れが埋めつくした川のようにさえ見せていた。もう、白灰色の道のレンガだの、足元の、商店に陳列してある品物だのは、全然見えなくなってしまったようなようすに気付いて、スカールはふいにぎょっとした。

(これは——確かに、異常だ……)

「おい、サリウ」

また、ちょっとカーテンをあけて、首を出して、スカールは囁いた。

「俺が御者をかわる。いや、お前はそのままそこに乗っていてくれ。タン・ター、荷台のほうに入って、親子を守る役目についていてくれ」

「かしこまりました」

「馬車をとめぬまま入れ替わるぞ。フロリー、安心していろ。決してこのままここで立ち往生になるようなことにはならぬからな」

「はい」

フロリーは何も余計な口をきかなかった。

ただ、しっかりとスーティを膝の上に抱きしめ、自分のマントのなかに囲い込むようにしただけだ。

スカールはしっかりとフードをおろして顔を隠すと、窓から身を乗り出して、そのまま まぐいと御者席の手すりをつかんで身をずりあげ、器用に御者席に這いのぼってしまった。それと同時にすばやくサリウが隣にずれ、隣にいたタン・ターは急いでこれはいったん飛び降りた。いかにも騎馬の民らしいすばやい身のこなしで、ぱっと荷台の戸――といってもカーテンにすぎないが、それをあけて、そこにもぐりこむ。

「失礼します」

フロリーたちにいうと、腰の剣の柄に手をあてたまま、じっと窓の外をにらんでいた。この、馬を走らせながらのままの入れ替わりは、巡礼たちの目を当然ひいたに違いないが、まわりをしだいに文字どおり埋め尽くそうとしている巡礼たちは、何の驚くべきこともなかった、というようすで、じっとそのままうつむいて歩いているだけである。かえって、そのほうが、すべての生きた好奇心を吸い取られてしまったようで気持が悪かった。

スカールは御者台に這い上がると、サリウから馬の手綱を受け取り、そしてぐいとひきながら、低く唸った。

御者席にのぼってみると、あたりのようすがいっそうはっきりとした。それが明白に『異常』をはらんだものであることは、もう明らかであった。

一見すると、それはきのうまでの、聖都ヤガの都大路の光景と変わってはおらぬようにさえ見えたかもしれぬ。ただ、少しばかり、きのうよりもヤガを訪れる巡礼たちの数が増えただけのことだ――と。

だが、スカールの鍛えた目には、この光景の秘めている異様さがはっきりとうつっていた。

(なんということだ……)

スカールは、低くつぶやいた。

(これは、ただの巡礼じゃない。そんなものであるものか。――きゃつらは、命令を受けて、俺たちをこうして取り込めるために出てきている《兵隊》だ。それ以外のものであるものか――きゃつらの目、フードで隠そうとしてはいるが、みな、うつろで、人形のようじゃないか)

ぞろぞろ、ぞろぞろと路地から出てくる黒い巡礼たちのすがたは、しだいに増えてくるばかりだ。

そのなかを、強引に、スカールは、かえって速度をあげて馬車を走らせた。御者席からうしろを振り向いて、二人の部下に大声をかける。

「迷うなよ。なるべくぴったりと、ついてこい」

「はいッ」

部下たちも、このようすのただごとならぬことは察したようだが、さすがにスカールの頼みとする騎馬の民だ。怯えることもなく、懸命に馬を御している。もっとも内心はかなりひるんではいるのだろう。フードのなかで、顔色が青く、唇はきっとかたくひき結ばれている。だがそれも無理はなかった。

たとえ武装などなにひとつしていなかろうと、これだけの人数の巡礼たちが、いっせいに襲いかかってこようものなら、もう、かれらではどうにもならない。襲いかかってこないまでも、まわりをぎっしりと取り囲まれてしまったら、馬車は動きがとれなくなるだろう。

(といって、いま馬車を捨てると――大変なことになってしまいそうだ。それに、やはり女の足と――スーティがいる)

スカールは、馬にムチをあて、続けて声をかけて、「道をあけてくれ」と巡礼たちに怒鳴った。

そうすると巡礼たちは素直に道をあける。かえって、それが不気味である。べつだんかれらは何の敵意も示そうとはしない。それどころか、丁重に、道を譲り合い、巡礼どうしでも、おしあいへしあいしながらも「お先へどうぞ」「あなたこそ」というように頭を下げたりしている。その動作がかえって、もたもたとして、先にゆくのの邪魔になる。

スカールは強引に馬の速度をあげた。巡礼たちは、急いで道の左右によけようとしながら、さすがにスカールのほうを見上げてくる。それもかまっているひまもなく、ひたすらスカールは馬車を走らせた。だが、どれだけ速度をあげようとしても、巡礼たちでいつのまにかぎっしりになってしまった道は、思うようには走れず、最初にくらべると、半分以下の速度になってしまっていた。

「太子さま」

サリウが低く囁いた。

「ごく初歩の魔道で、人々に暗示をかけて道をあけさせることが出来ます。もうこうなったら、そうして、とにかくこのあたりを出てしまわなくてはこの先まで逃亡するのはとうてい無理なのではないでしょうか」

「俺も、そんな気がしないでもない」

スカールは、ちょっとのあいだ、サリウのことばについて考えていた。

「ごく初歩の魔道でも、それを使えば、おそらく、魔道を使った、という波動はあたりには出るな」

「それは出てしまいます。そして近所に魔道師がいれば、当然、その波動をもとにしてつきとめられ、追跡されることもありえますが――しかしこのままだと立ち往生になってしまいます」

「それもそうだ」

さらに、スカールは考えた。それから決断を下して、大きくうなづいた。

「よし、では、やってみろ。確かにもうどうせ、こちらに魔道師がいることは、あのバランだったか、死んだ魔道師でばれているのだ。それにおそらく、こうして巡礼どもがぞろぞろ道をふさぎにかかってくるということは、我々がここにいることもわかってしまっているのだろう。しっかり監視されているのかもしれぬ。――だったら、もう、強行突破しかないな。なるべく、早くに部下どもと合流するしかない」

むろん、スカールには、そのまさに同じころあいにタミルたちを襲っていた、恐るべき運命などについて知るすべとてもない。タミルたちは、忠実に、スカールが待っていろと命じたヤガの北郊外の森で待ち受けているものと確信して、そう云った。

「わかりました。では、ごく弱く暗示をかけてみます」

「ああ」

スカールは、いつでも剣を抜けるよう、ちょっとマントのすそをはらって体勢をかえた。それから、なお、増え続ける巡礼たちのあいだに、馬車を乗り入れながら、「場所をあけろ。すまぬが急ぎの用件なのだ。場所をあけてくれ」と叫び続けた。

巡礼たちは、その声にこたえるようなようすをして左右に右往左往したが、逆にそのせいで、いっそうあたりがごちゃごちゃとしてくるのが本当のところだった。スカールは、本当はいっそのことムチをふりまわして皆を追い払ってやりたい衝動と戦いながら、じっと我慢して馬車を御していた。もう、馬車のまわりまでも、ぎっしりと黒いガーガーのような不吉なすがたに取り囲まれていた――だが、まだ、いくらでも巡礼たちは路地から出てきた。

これほどの数の巡礼が、ヤガにひそんでいたのか、と驚くばかりだった。だが、スカールの鋭い目は、その巡礼たちが、やはり、別々に勝手に動いている連中ではなくて、何か指令をうけて、勝手に動いていると見せかけながらその実、なにげなく同じ方向にむかったり、前を横切ったりしてスカールの馬車の前途を邪魔しているのを見てとっていた。

(こやつら、やはり、あの《ミロクの騎士》とやらいう巡礼どもだな)

(たとえ剣をとって戦わぬにしたところで、これだけの人数がこのようにして押し込めてくれれば、相当な戦力にはなる。——このままにしておくと、やはり……)

サリウは、スカールの隣で、指をそっと組み合わせ、何かしきりとつぶやいている。が、ふいに、顔をあげて、いくぶん蒼白になった顔でスカールを見た。

「どうした」

「魔道が、ききません」

サリウが、低い声で云った。

「魔道が効かぬだと。それはどういうことだ」

「なにものかのバリヤーによって、封じられています。このバリヤーのなかでは、魔道の力が使えない、ということです。——だが、それはつまり、魔道のバリヤーですから……別の魔道師が、魔道のバリヤーを張っている、ということです」

「このヤガでか」

「そうです」

「そのバリヤーはかなり強力そうか」

「だと、思います――と申して、私はそれこそ、私の指導者である宰相のように、強力な魔道師ではございません。まだまったくのかけだしの初級魔道師です。私に破れなかったからといって、このバリヤーが、どの程度強力な魔道師によって張られたものか、それはわかりません――私より強力であることだけは確かですが」

「まったく、効かないのか」

「はい。誰も、私の暗示を受け取らないようです。何か、それ以外の、強烈な暗示をあらかじめ受けているのだと思います」

「ここに集まってきて、我々を取り囲め、という暗示だな。おそらく、それは」

「と思いますが……どういたしましょう」

不安そうに、サリウはスカールを見上げた。

「どうもこうもあるまい。突破出来るところまでするだけだ。そのバリヤーというのは、どういうかたちをして、どういうものなのかもうひとつわからんが、どこか場所を限定しているようなものなのか。もうちょっと先に進んだらそれはなくなっている、というようなことはないのか」

「たぶん、この連中そのものが、そのバリヤーに動かされて動いているのだと思います」

ぶきみそうに巡礼たちを見回しながらサリウは囁いた。

「まだあとからあとから出てきます。――みな、目つきがちょっとおかしくなっています。たぶん、同じひとりの魔道師によって命令を受けて動いているのだと思いますが、だとすると、これだけの人数をそうやって動かせるというのは――とてつもない、私などからみたら想像も付かぬほど強力な魔道師ではないかと思います。――それこそ、ヴァレリウスさまのような」

「ヴァレリウスになら、この程度のことは出来るのか」

「それは――はい、出来ると思います」

「ということは、ヴァレリウスになら、このバリヤーをほどいて、この巡礼どもの受けている暗示を消すことも出来る、ということだな」

「たぶん……全部は無理かもしれませんが……」

「そうか」

スカールは何か考えていた。

それから、ぐいと身を乗り出して、さらに馬にムチをあてた。

「おい、そこをどいてくれ。――急いでいるのだ。家族が急病で、急いで医者のところへ連れてゆかねばいのちにかかわるのだ。――道をあけてくれ。通してくれ」

スカールが叫ぶと、いっせいにあちこちから「ミロクのみ恵みを」「ミロクのみ恵みを」という挨拶のような声が感情もなくかけられてくるのが気味が悪い。

いつのまにか、うしろのほうで、スカールの部下たち二人も、それぞれに巡礼の群れに囲まれて動きがとれなくなってしまっていた。途方にくれたようすでこちらになんとかして追いつこうとしているが、まわりはもう、黒い巡礼の群れにぎっしりと取り囲まれている。

スカールの馬車もまた、いつのまにか、このままでは十タッドすすむことさえままならないほどの、巡礼の群れにまわりを埋め尽くされてしまっていることに、スカールは気付いて、激しく歯を食いしばった。

3

「い——いかがいたしましょうか……太子様……」

スカールの隣で、サリウが心細げな声を出す。さすがに新人のかけだし魔道師だけあって、とうていおのれの力ではこの苦境は突破出来ないだろう、と恐しくなっているようすがうかがえる。

「まあ待て。——落ち着け。俺達が騒げば、フロリーたちはなおのこと、落ち着かなくなるだろうが」

たしなめておいて、スカールは、いったん、動きがとれなくなってしまった馬車をそこにとめ、身をぐいと御者席から乗りだして、うしろの荷台をのぞきこんだ。カーテンを少しだけまくり、首を出す。

「いいか、ちょっとあやしげなことになってきて、どんどん、巡礼どもが集まってきている。これはどうやらただの巡礼どもではなく、敵にあやつられているとしか思えぬ。だが、何とかするからな。——必ず何とかするから、怯えることはない。俺を信じて、じっとしていろ。かなり、不安になるようなことがおこっても、いいか、一番まずいのは逆上して馬車から飛び出してしまうことだと思え。それととにかく母親は息子の手をはなすな」

「わかりました」

フロリーは何も余分なことを云わなかった。

すでに、カーテンのかげから外をのぞいて、状況はかなり理解しているようで、その小さな顔は蒼白だ。だが、しっかりと胸にスーティを抱きしめたまま、その顔はゆるぎない勇気と信仰に燃えていた。

スーティもまた、じっと母の胸に身をよせ、たとえどうなろうと、母がいるかぎりは大丈夫だ、と信じ切っているように、母の手を小さなむくむくとした手でつかんでいる。それを見極めてから、スカールはカーテンをしめた。

「健気な親子だ」

御者席に戻り、呟くようにいう。

「何とかして、無事に逃がしてやりたいものだ。――サリウ、お前、仲間の魔道師はいるのだな」

「はい。バラン魔道師は死にましたが、バランが連れてきたものも数名はいるはず、私の連れてきたものも四、五名おります。ただ、私の連れてきたものは、私が指揮者であるくらいですから、本当にかけだしで、こういってはなんでございますが、何のお役にもたたぬかとは存じますが」

「魔道を使ってこの事態を何とかしようとするのなら、そうでもあろうが」

スカールはくちびるをかみしめた。

「なんとかして、そやつらを、連絡の役には立てられぬか。——俺の仲間どもが郊外に伏せてある。そやつらと連絡をとり、そやつらにもここまで来いというのは無理だし、そやつらにはヨナを守るという任務を与えてあるから、動きはとれまいが、我々がこうなっているということ、とりあえず、ヤガ市中に入ってはならぬということくらい、連絡出来れば、多少は心丈夫なのだが」

「わかりました。やってみます」

サリウは目をとじて、熱心になにごとか念じ始めた。おそらくは心話を使って仲間に連絡をとろうとしているのだろう。

スカールはなおもあたりを見回した。もはや、それは、ひとつの決断のときであった——馬車を捨てて、人々の群れのなかにまぎれこむか、それとも強引に馬車でなおも突破しようとするか。

うしろのほうで、二人の部下も荷車に乗ったまま立ち往生している。それへ、スカールはうしろをむいて手を口にあて、大声で怒鳴った。

「オーク、カン、こちらにこい。馬車をすてて、こちらにきてくれ」

「……」

巡礼たちはほとんどひそとも声をたてない。それだけに、かれらにはちゃんとスカールの命令が聞こえたらしい。

大きく両手をあげてふりまわしてこたえると、すぐに二人は馬から思いきって飛び降り、そこに荷馬車を残したままこちらにむかって、巡礼の群れにまぎれこんだ。二人とも黒いフードつきのマントをつけて巡礼のいでたちをしているだけに、地上に降りた一瞬に、もうおびただしい巡礼の群れにまぎれてしまって、どこにいるともわからなくなってしまう。

(あれらを無事にここまで通してくれるようなら……まだしも、逃げる見込みはあるが……)

(問題はスーティだな。――俺がかかえて逃げるにしても、残りの男たちにフロリーを見させ――どこまでゆけるか。そして、おそらく、どこかでは必ず――このぶきみな操られたからくり人形どもは正体をあらわす……)

「大変です」

低く、サリウが云った。その顔が、フードのなかでひどく青ざめていた。

「どうした」

「バランの部下で、ヨナ博士の身辺を護衛しようと――バランに自分に何があろうと、かまわずヨナ博士の行方だけを見極めておそばについているように、と命じられていた魔道師と連絡がとれました。――ヨナ博士は無事にヤガを出て郊外の村で太子さまの部下たちと合流したものの、そこで、太子さまの部下たちをおびただしいカラス《ガーガー》の群れが襲い――」

「ガーガーだと」

「はい、見たこともないほどおびただしい凶悪なガーガーが襲ってきて、騎馬の民を攻撃し、沢山の死傷者を出しているようです。そして、ヨナ博士を護衛していたものたちは妖しい黒い怪物に襲われ……よほど自分もそのとき飛びだそうかと思ったのですが、やはり行方を見届けるのが第一の任務とじっとこらえていたところ、黒い巨大な女が――信じられぬほど巨大な黒い肌の化け物のような女が空中から出現して、騎馬の民たちをあやしい魔道で殺してしまい、そしてヨナさまを連れ去った――ミロク大神殿の方向へ、空中をかけて、気を失ったヨナさまをかかえて連れ去っていった、というのです。その魔道師は、かなりはなれてそのあとを追っているが、これ以上近づくと気付かれそうなので近づけない、と申しております」

「……」

この新しい知らせは衝撃以外のものではなかった。

スカールは、無事だと思っていたヨナの拉致の知らせと、そして、あてにしていたおのれの部下たちの壊滅という、最悪の知らせに、一瞬茫然とした。

が、そこでそのまま茫然としているスカールではなかった。

「ということは、郊外まで無理矢理ヤガを脱出する必要がなくなった、ということだ」

スカールは荒々しくつぶやいた。

「よし。ではもう、馬車を捨てるしかないな——二人は、まだ来ぬか」

「それらしいものは見えません」

サリウはきょろきょろとあたりを見回しながら絶望的な声をあげた。

「如何いたしましょう。——あのお二人も、この巡礼の海に飲まれてしまったかのようにどこにも姿が見えません」

「泣き声を出すな。魔道師なのだろう」

スカールは云うと、ぐいと、剣帯のひもをしめなおした。

「よいか、俺がスーティを抱く。お前はフロリーを連れたタン・ターを先導して、俺からはなれぬように魔道で俺をたえず見ながらついてこい。そのくらいは出来るだろう。——俺がどこにどのように向かっても、必ずフロリーをつれてぴったりとついてくるのだ。おそらく馬車を捨てればただちにこの巡礼どもがさらにどっと押し寄せてくることになるかもしれぬ。が、とにかく、狭い通りに入ってしまえば——前後はふさがれることになるかもしれぬが、大勢があとからあとから出てくることは無理だろう——まあいい、もう何を考えてもこの期に及んで仕方がない。とにかく、もし万一俺とはぐれたら、フロリーを連れて、俺のありかを探せ。俺の波動だったか、何かをずっと調べて、俺のありかを確認しているというようなことは、魔道で出来るのだったな」

「はい」

サリウは緊張してうなづいた。

「出来ると思います」

「よし」

スカールは、するりと馬車から飛び降りた。

ざわっと巡礼たちが動いた気配があった——それは、どろりとした黒い海の波が揺れた、というような気配であったが、しかし、かれらは、それでただちにスカールのほうに殺到してくる、というような様子は見せない。やはり、見かけは、のろのろと、やはり自分たちの思った方向へただ自分たちは巡礼として歩いているだけだ、というようなようすを装っている。

「フロリー」

スカールはカーテンをまくった。

「最悪の事態だ。馬車を捨てる。俺はスーティを預かる。決して、スーティには危害を加えさせぬ。そのためには俺が抱いて逃げるのが一番いい。タン・ター、お前にフロリーを預けるから、魔道師のサリウともども、俺からはなれぬように、決してはなれぬようについてくるのだ。わかったか」

「わかりました」

ただちにきっぱりとタン・ターが答えた。

「何があろうと太子さまを見失いません」

「一応いまのところはきゃつらは何も我々に危害を加えようとしてはおらん。だから、なるべくなら剣は抜くな——血を見るさわぎになった瞬間に、こやつらが暴徒と化して襲いかかってきたら、いかなわれらでも多勢に無勢、その上に女子供を連れている、ということになる。——俺は直感とひらめきだけでこの中をくぐりぬけてみることにする。お前もなんとかして、敏捷についてこい。フロリー、命がけで、この男に手をとられてついてこい。いいな」

「はい」

フロリーはただ、大きくうなづいてそういっただけだった。

「坊主、おじさんにつかまれ」

スカールはスーティをフロリーから受け取り、しっかりと抱き寄せた。思った以上に年齢よりしっかりしている幼いからだが、ぎゅっとスカールにしがみついてくる。

「何があろうと、おじさんがお前と母様を助けてやるからな。怖がって暴れるな。じっと俺につかまっていろ。いいな。暴れるとかえって怖いことになるぞ」

「ハイ」

スーティは健気にはっきりと答えた。

「スーティ暴れません。しっかりおじちゃんにつかまっています」

「ようし、いい子だ。——では行くぞ。この群れを突破してなんとかこの大通りを突っ切る。タン・ター、フロリー、サリウ、ついてこい」

云うと、もう、スカールはほかのものたちには目もくれなかった。

しっかりとスーティを左手に抱きしめ、おのれのマントで抱え込むようにしたまま、かるく頭を下げて、おびただしい、馬車の周囲を埋めている巡礼の人混みのなかに突進していった。

すかさず、タン・ターがフロリーの手を握り、かかえこむようにしながらそのあとを追って馬車から降りた。スカールからなるべくはなれぬように、ひとかたまりになって、歩き出す。サリウもその一番うしろに守るように続く。

巡礼たちは、べつだん、かれらが馬車から出ても、スカールのいうとおり危害を加えようとする様子もなかった。ただ、のろのろと動きまわり、偶然のようにかれらの行く手を遮っているだけだ。

「どけ！」

それを、片手で押しのけるようにしながらスカールが歩き出すと、「乱暴な人だ」「こんな人混みで無理をしないで！」「子供がいるんですよ！」「年寄りがいるから、乱暴をしないでくれ」といったごく小さな声での不平の声があがるが、意外と素直に場所をあけてくれる。どうやら、全員が全員、催眠術によって《新しきミロク》に操られている《ミロクの騎士》なわけではないのか、それとも、《新しきミロク》の幹部による操縦が、それほど厳密に行動のすべてをあやつるほどのレベルに及んでいるものではなく、ただ、漠然と「こちらの方向へゆけ」とか、「こっちへ集まり、こちらへ向かってゆけ」といった暗示だけを出すものだったのではないか、とスカールはふんだ。

もしそれだったら、そのあいだに、極力その利に乗じておこうと、スカールはさらに足をはやめ、今度は軽く頭をさげて、あやまりながら人々のあいだに分け入ってゆく。まっすぐに大通りを横切り、一瞬ちょっと危険かな、という危惧を感じつつも、おのれの感覚のひらめきにまかせて、細い路地に入ってゆく。その路地の向こうにも通りが見えていたので、そこが行き止まりではないことはわかっていた。

細い路地の奥からも、巡礼たちがのろのろとやってくるが、それをスカールが「すまぬがちょっとどいてくれ。急ぐのだ。急ぎの用があるのだ」と口走りながらおしのけると、あえてその邪魔をしようとはしない。相変わらず「乱暴な」とか、「急ぐものはこんな道を使わなくても」などとぶつぶつ云いながらも、なかには道を譲ってくれるものさえある。スカールは、そこをすばやく左右に人々をおしのけたり、すりのけたりして、スーティを抱いたまま歩きながら、うしろからタン・ターがフロリーとサリウをともなってついてきているのをときたま肩ごしにちら、ちらと確かめた。

細い路地だと、前後からはさまれてどうにも動きがとれなくなるのではないか、と心配していたが、案に相違して、意外と簡単にその路地をぬけて次の通りに出ることが出来た。その通りは、それほど大勢の巡礼がむらがってはおらず、いつもどおりの情景に、ただいつもよりは少し巡礼の数が多いが、と言う程度にしか見えない。

(あの通りだけだったのかな……暗示が動いていたのは。だったら助かるが――いや、だがまだまだ安心には程遠い)

「疲れぬか、坊主」

スカールが腕に抱いているスーティに声をかけると、スーティはしっかりとしたようすで首を横にふった。

「おじちゃん、すーたんおんりしてあるくか？　おじちゃんおもたいおもたいないか？」

「おじちゃんを案じてくれるのか。これは偉いな。大丈夫だ、坊主くらいの重たさなら、まる一日かかえていても、おじさんはなんともないぞ」

「………」

スーティは感心したようにスカールを眺める。

その黒いぱっちりとした瞳はどうしても、スカールに宿敵の黒く妖しい瞳を連想させた。それはなんともいえぬ不思議な気分だった。

(俺が、あれほど憎んだイシュトヴァーンの子供をこの手に抱いて、助けようとミロクの町を走っているとは……)

これも運命神のめぐりあわせの不思議というものか、と思う。

草原の民にとっては、運命神はヤーンでもなく、むろんミロクでもない。厳密にいえば、運命神、というものは存在せず、草原の神モスは、ひとびとの運命をあやつったり、それに干渉してくるようなことはしない。どちらかといえば、草原の神モスは、ただ巨大にひろがっている草原そのもの、その草原の上にさらに巨大にひろがる空そのもの、天空と大地、それ自体が生命をもったもの、というように考えられているのだ。

(運命はおのれが切り開くもの——神にあやつられるものではないと、俺は——ずっと思ってきたが……)

しかし、ここでこうしてイシュトヴァーンの子とその母を助けようと奔走している——同時にまた、ヴァラキアからやってきたイシュトヴァーンの幼な馴染みたるヨナをも助けようとしている、と思うと、さしものスカールも不思議の念にうたれずにはいられない。

（これは、やはり――《運命》という名のなにものかに、あやつられているあわれな人間のさだめというものだろうか……？）

ヨナがどこに拉致されたのか、いったいその黒い巨大な女の怪物というのはなにものか――騎馬の民の部下たちの運命はどうなったのか、気になることは山とある。

だが、いま、それをたずねに戻っているわけにはゆかぬ。とりあえず、いまは、スーティとフロリーだけでも安全なところに連れてゆかねばならぬ。

（しかし、ミロク教徒の連中が、それなりの魔道を使うようになったということになると……草原のどこかの国に頼んで、この母子をかくまってもらうにしても、なかなかあとあとが面倒なことになるかもしれんな……）

（だが、いよいよこれは、ヤガがこれまでとまったく異なる野望をもって動きはじめた――これまでとはまるで違う国になろうとしている、という一番確かな証拠だ。――どうあっても、ヨナは助け出さねばならぬし――それに、とにかくスーティは決してきゃつらの手には渡されまい……）

おのれの部下たちは、どうなったのだろうか。

まさかに、全滅しているだろう、とはいかにスカールでも思いもつかなかった。それに、おのれの部族の騎馬の民のなかでも、連れてきたものたちは、よりぬきの精鋭であり、そうそう簡単に、魔道にであれどのような敵にもやられるような弱者ではない。

（だが、黒い巨大な、見たこともないほど巨大な女の化け物だと……）

スカールは、ヨナがおそらくミロク大神殿に連れ去られたのだろうと確信していたが、同時に、フロリー親子を連れたまま、それを救出に向かうのは不可能である、ということはよくわかっていた。

（ともかくまずは、フロリー親子、さもなくばせめてスーティだけでも安全な場所においてーーミロク大神殿にどうあれ潜入しなくてはならぬとしたら、それは俺一人とーー俺一人ではおそらくどうにもなるまいから、やはり、《あの人》に頼むほかあるまい……）

（あの人がきいてくれればだがーーおそらくきいてくれるだろう。このことは、あの人にとってもーー《ドールに追われる男》イェライシャ導師にとっても、おそらく大変な事態であるはずだからな……）

イェライシャを呼び出すのにも、手順がいる。

なまなかなことでは、世を捨てた大魔道師は出現してくれはせぬ。だが、このしばらくずっとイェライシャはスカールの保護者としてふるまっていた。それだけに、本当にスカールが窮地に追いつめられれば、必ず出現してくれるはずだ、という思いーーあるいは期待は、スカールのなかにはある。グラチウスの黒い薬のためになかばほろびかけていたスカールの肉体をよみがえらせ、かりそめの命かもしれぬが、このいまの命を与えてくれたのは、まぎれもなくイェライシャなのだ。

(あの人なら、おそらく、そんな怪物にも太刀打ち出来ようが……)

スカールは、どうやら無事に大通りを渡りきると、ミロク大神殿からは反対側の、北ヤガラ川にそってヤガ市内を抜けてゆくことになる道をとろうと考えていた。

巡礼のすがたはしだいに少なくなってきている。まして、暗示に操られて集まってきたような、異常な様子の巡礼がほとんどいなくなってきているのが、スカールには心強い。

タン・ターも順調にフロリーを庇って、くっついてきていた。フロリーはさすがに、スカールとタン・ターの足についてゆくのは大変そうだが、それでも弱音ひとつ吐かずに、スカートをひらひらさせながらよくついてきている。

(どこかでまた——なんとかして馬車か、馬を手に入れられれば——もうちょっと郊外に出れば、《新しきミロク》の力がまだ及んでいない地区があるのではないか……)

それが、スカールのねらいであった。

《新しきミロク》は、おそらく、スカールの読みでは、まだ完全にヤガを制圧し、ヤガの中心部とミロク大神殿、そしてミロク教団の内部すべてを掌握するところまではいたっていないようだ、というのがスカールの読みだ。

（もし、そうであったら、あんなふうにして暗示をかけて我々の行く手を邪魔する理由はなかろう。もっと簡単に、それこそ《ミロクの騎士》どもとやらを繰り出して我々をとりこめてしまえばよいのだ。だが、あの巡礼たちは、暗示は受けて、同じ方向にむかってひたひたと集まってきてはいたし、そのことを不思議だと思ってもおらぬようではあったが、それ以外では特に気が狂っているようでもなく、また何か強烈な命令を受けているとも、精神を操られているとも見えなかった。――顔つきもまともに見えたし、俺が押しのけると文句をいうが、俺があやまると、いやいや、などとこたえてくれた。――つまりは、《新しきミロク》の暗示の力はたぶんまだそこまで強くはないのだ……）

（ということは、《新しきミロク》は、いままさにミロク教団の中核部に入り込もうとしつつあるところで、たぶん《古きミロク》を信ずる幹部たちのなかには、《新しきミロク》をいとうたり、いやがったり、うろんに思ったりしているものもいるはずだ。――何をいうにもミロク教も古い――けっこう古くからあちこちにほそぼそと、だが確実に信じられてきた教団だからな。そうそう簡単に、数人の新入りが入ってきて教義をくつがえそうとしたくらいで、完全にのっとられてしまいはせぬはずだ。――戦うな。争うな。殺すな、剣をもつな――ミロクの教えは、いま、《新しきミロク》のやろうとしていることとはまっこうから反しているのだから。必ず、それに対しては、《新しきミ

ロク》がおかしいのではないか、と疑惑をもつものたちが、少なからずいるはずだ)

(そいつらをなんとかして見つけだして——かくまってもらうこともだし、また、なんとかして《新しきミロク》の敵として行動している連中を見つけることが出来れば——)

そうすれば、とりあえずヤガは脱出出来るはずだ——

スカールは、目の前にひらけてきた、北ヤガラ川のきよらかな眺めに目を遊ばせながら、思わずほっとひと息ついた。

ふりかえると、タン・ターもフロリーも、そのうしろからサリウも、ちゃんとついてきている。

「まだ、安心はとうてい出来ぬが——つかれただろう。ほんの、ひと息だけいれるか」

スカールがいうと、フロリーもタン・ターもほっとしたようにうなづいた。そのまま、フロリーは文字どおりくずれるように河岸の石に座ったところをみると、本当は相当に疲労しているようだ。

「坊主、どれ、母様のところにいって、少し元気をわけてあげろ」

スカールはスーティを下ろした。さしものスカールのたくましい腕にも、これだけのあいだずっとかかえていれば、多少のいたみやしびれは走っている。

スーティは元気よく飛び降りるとフロリーのところにいって、抱きついた。

「母様」

「坊や……」

フロリーは口もきけぬように、しっかりとただひたすらスーティを抱きしめる。

「タン・ター、飲み物はまだあったか」

「いや、私のところにはもう……」

「そうか」

「あ、わたくし、ちょっとだけ……水筒にお茶をいれて参りましたから……」

フロリーがよろめくように立って、背中に背負っていた背嚢から、小さな水筒を取り出そうとした。

そのときであった。

4

「誰だ！」

鋭く叫ぶと同時に、スカールが腰の剣を引き抜いた。

ぱっとマントをはねかえし、うしろにスーティとフロリーをかばう。タン・ターもすかさずそれにならってスカールの横に出る。

「お待ちしておりましたよ」

冷ややかな声が、土手に適当な間隔をおいて植えられている木々のあいだから聞こえたと思うと、ひらり、と姿をあらわしたのは、黒いマントをかけ、だがフードははねのけて顔をあらわにした、イオ・ハイオンであった。

「きさま、待ち伏せていたのか！」

「というよりも、ここに誘導するように、さりげなく巡礼たちに邪魔をさせたのですよ。あのような大勢のいる前で、あらごとをするわけにも参りませんからねえ」

イオ・ハイオンのことばは、憎たらしいくらいにくそ落ち着きに落ち着き払っている。

「きさま……」

スカールは、だが、このようなこともあろうかと予期していた。けわしい目で、イオをにらむ。

「ヨナをどうした！」

「ヨナ博士が御心配ですか。御心配には及びません。もう、博士はちゃんとわれわれが保護し、安全なところへかくまって、お休みいただいております。博士もだいぶんお疲れのようでしたし、それに博士はもともと、おからだがあなたがたほど頑健でないようですからねえ」

ほほほほほ、と耳障りな声をたてて、イオ・ハイオンが笑った。そのつるりとした顔は、なまじ整っているだけに、妙にぶきみに、非人間的に見えた。

「もともと、ヨナ博士のお行方についてはちゃんとずっとわれわれの仲間があとについて、見守っておりましたからね。《ミロクの聖姫》がヨナさまを無事回収されましたので、残っていた邪魔者どもは、失礼して私どもで片付けさせていただきました。あのとき、あそこにいたあなたの部の民たちは、もうひとりとして、生き残っているものはいませんよ、黒太子スカールどの」

「何だと……」

スカールはぎりぎりと歯がみをした。

フロリーはしっかりとスーティを抱きしめている。

「ついでにいうなら……そこの木っ端魔道師どの」

あざけるように、イオ・ハイオンがサリウを見ながら云った。

「あんたの仲間の同じ木っ端魔道師さん達も、もうほとんど残っていないよ。さっきあんたの心話に答えたのがさいごで、そのあと、《ミロクの騎士》たちがきれいに掃除してしまったからね。だいたいが、ヤガの都には、異教徒の魔道師など、あってはならぬ存在なのだ。その上、よりにもよって、ヤガがようやく新生の、《新しきミロク》の都に変わってゆこうとするこの大切な時期に、鬱陶しくちょろちょろとうろつきまわってわれわれの邪魔をするなど許せない。かれらも黒太子どのの部の民と同じく、あっさりとわれわれの仲間に片付けられてしまった。弱い連中だ。魔道にせよ、武道にせよ——そんなことでよくまあ、これまで中原の秩序がなんとか保たれていたものだ」

おおっぴらにあざけられて、サリウの顔が怒りに真っ赤になったが、それよりも、イオのことばに衝撃を受けたらしく、必死に何かつぶやいて精神集中しようとしているのは、心話で仲間たちと連絡をとろうとしているのだろう。

だが、その結果はむなしかったようだった。

「誰も、応答しません」

サリウはスカールに、呻くように囁いた。

「本当に、こやつの仲間が私の仲間を片付けてしまったようです……感じるのは、《無》と《死》の気配だけです」

「………」

スカールはどうしたものかと一瞬おのれに問うように、くちびるをかみしめた。

「ヨナはともかく、我々には用などありはせぬだろう、イオ・ハイオン」

いまいましげに、吐き捨てるように云う。

「我々はおとなしくヤガを出てゆく。ヨナのことは諦めるゆえ、きさまもそこを退《ひ》け。ならば、俺も、聖都らしからぬ荒っぽい腕立ては勘弁してやる」

「これは、お心づかいのほど、感謝感激」

イオはあざけるように答えた。

「しかし、どうして、あなたがたに用がないなどと？　黒太子スカール殿下御本人には、確かに聖都ヤガも、《新しきミロク》教団も用がないといえばないかもしれぬ、あるといえば、それなりの使い道はあるかもしれぬ、たいへん中原でも草原でも、ご高名なおかただからな。そのおかたが、《新しきミロク》に帰依されたとなれば、それはそれで、我々にとっては決して不利益にはなるまいと思うが。——そのうしろの親子については……」

イオはずるそうに、上目使いでスカールを見上げた。

「どこのどなたかは存ぜぬが、スカール殿下のようなおかたが、それだけの力をふりしぼって、ヤガから脱出させようとしているのだ。おそらくは、ただの女子供ではないと見た。——察するところヨナ博士の妻子か？　それとも、スカールどのの関係者か。まあいい、いずれにせよ、スカールどのがそのお二人をなんとかして助けようとしていることだけは確かなのだからな。ということは、その二人には、それなりの価値はすでにあるということだ」

「………」

スカールは、何もいうな、というように、タン・ターとサリウにすばやく目くばせを走らせた。

本当に、イオ・ハイオンが、フロリーとスーティの身元をまったく知らないでそういっているのか、それとも、本当はとっくに知っていて、ただ単にそらとぼけているだけなのかは、この段階ではよくわからぬ。だが、もし万一にも、フロリーはまだしもスーティの身元が《新しきミロク》側に割れていないのだったら、それは、スカール側にとっては非常な有利となる——スカールの目は、鋭く光っていた。

タン・ターとサリウもすかさずそのスカールの気持ちは察したようだ。緊張したおももちで、しっかりとフロリーとスーティの前後を守るようにしている。イオがかるく片手をあげた。

するといきなり、どこに伏せてあったのか、道を横切って、その数およそ三十人ばかりの黒いフードとマントをつけた、だが一見して巡礼ではない、とわかる男たちがわらわらと木々のあいだからあらわれてきた。さっと、スカールは、フロリーたちを背中で庇うようにしながら腰の剣の柄をつかんで身構える。

「この都では、流血は禁じられている」

あやしい声でイオが囁いた。

「ミロクのみ教えは、異教徒どうしであれ、異教徒とミロク教徒とがであれ——ましていわんや、ミロク教徒どうしが剣をとってあらそったり、血を流すようなことは、いっさい許しておられぬ。それゆえ、この都のなかでは、剣をとっての流血沙汰は、おこることが出来ぬのだ」

「おこることが出来ぬだと。そういったところで——」

スカールはむっとして言い返した。

「無法がおこなわれればそれをただ、見ているというわけにはゆくまい。あくまでも無法が数を頼んでおこなわれるとあらば、当然、その無法を阻止するためには剣の力も、時として魔道の力も必要となろう。それがこの世のならわしというものだ」

「その、野蛮きわまりないならわしから、この世を救い出し、より高い、よりきよらかな、より平和な世界を作り上げるために、我々《新しきミロク》教団はいのちをささげて働いている」

イオがゆっくりと手をあげて合図すると、三十人あまりの《ミロクの騎士》たちが、ずいとかれらを取り囲んだ。

さらに、そのうしろから、ゆるゆると、同数ほどの同じ格好をした連中があらわれてくるのも、スカールはしかと見届けた。

(三十の——とりあえず六十か。きついが、べつだん、やってやれぬことはあるまい。よし)

スカールは、剣を抜いた。

「この都では、剣を抜いての流血沙汰は厳禁されている、といっている意味がおわかりにならぬと見える」

イオが、ぶきみなしずけさでもって云った。

「太子どのには、われらの云うことがまったくおわかりにならぬか、ないしは、お聞きになってもまったく馬耳東風と無視されるお心づもりか。ここは何をいうにもヤガ、われらの聖都、ここでは草原流の無法は通らぬと思うていただいたほうがよいと思うのだが。それとも、あくまで、そのようにして、荒々しく力づく、剣づくの腕たてをなさるほかには、スカールどのの知ってこられた戦いはほかにはないか」

「問答無用!」

スカールは剣をかるく振り回してその手ごたえを確かめた。黒服の軍団は、おそれたようすも、といって血気にはやるようすもない。そこにただじっと、イオ・ハイオンの命令を待つだけの人形のように待機している。そのようすが、いっそ、かえって不気味な印象を与える。

「それをいうなら、腕たてはせぬと云いながら、きさまらは俺の部下、このサリウの部下どもを地上から消し、ヨナを力づくで拉致したのだろう。それをもって、平和だの、無法でないのというこそ無法というものだ。ヨナを返せ。ヨナはすでにお前らのいう《新しきミロク》の教義からは心ははなれている。ミロク教徒であろうとも、ヨナは古きよきミロクの教徒であって、おのれらとはかかわりはない。ヨナを返せ。さすれば、俺の部の民に加えた仕打ち、ただいまのところは胸をさすって見逃してやる。ヨナをどこへやった。あれをどうするつもりだ」

「そのようにヨナ博士がお気にかかるは、さてはスカールどのには、ヨナ博士がお気に召されたか、それとも、ヨナ博士の隠しておられるひそかな秘密をかぎあてたか」

にっと、イオが笑った。スカールの眉がかたく寄せられた。

「待て。何のことだ。ヨナの隠している秘密だと」

「ヨナどのは見かけどおりのただの学究ではない、とそうわれわれは理解している」

イオは薄笑いを浮かべた。

「あの学者は若いながらも、パロでアルド・ナリスどののかたわらにつき、さまざまな秘密をナリスどのから伝授され——そしてそのあとには、今度は豹頭王グインの面倒係として、グイン王の秘密をあれこれと聞き出した。いまや、彼ほどに、中原にひそむあやしい秘密をあれもこれも知っている貴重な人材はそうそういるものではない——だからこそ、人手には渡せぬ。ましてや、その値打ちもわからぬ草原の騎馬の民になど」

「きさま……」

スカールはいきなり、前触れもなくイオ・ハイオンにおどりかかった。

とっさにタン・ターがフロリーとスーティを庇ってうしろにさがる。ぶきみだったのは、指揮官にそのようにして攻撃が加えられたのにもかかわらず、まわりをとりまいている黒いマントの《ミロクの騎士》どもが、まるでイオの命令なしでは動くことのできぬからくり人形ででもあるかのように、一歩も動かなかったことだった。スカールの剣は、容赦なくイオ・ハイオンの胴体を横に二つにないでいたのだ。

あまりにあざやかな剣さばきであったからか。

ほんのしばらくのあいだ、イオ・ハイオンのからだは、まるで両断されたことなどなかったように、そのまままっすぐに立っていた。それから、いきなり、ごろりと上体が腰の上からころげおちた。

「きゃあッ」

フロリーが小さな悲鳴をあげて、すばやくスーティの頭をおのれの胸におさえつけるようにしてこの酸鼻の光景を見せまいとする。が、まわりの《ミロクの騎士》どもは動かない。

その不動のようすが、かえってスカールの不安をあおった。スカールはさらにふみこんで剣を振りかざしたが、いかなスカールといえど、いっさい抵抗もせず、何ひとつ反攻をしてこようともしないで、両手をそれぞれの反対側の袖に突っ込んだまま、ぶきみな彫像のように突っ立っている人間たちを、やみくもに切り倒す、ということは、出来かねた――まして相手は、一切の刀も武器も手にしていないのだ。

「なんだ、こいつらは……」

スカールの口から、思わず呻くような声が漏れたときだった。

「やれやれ。だから、草原の民というのは乱暴だというのだ」

声がした。それは、地上にころがっていた、イオ・ハイオンの上体の、その口から出てきたことばであった。

「やれやれ、こう綺麗にぶった切られちゃあ、くっつけるのにかえって手間がなくて助かるかもしれん。おい、そこの、何をしている。手をかせ。早く、俺のからだをまたくっつけてくれ。早速にミロク大神殿にいって、上下をくっつけていただかなくてはならぬ。あまり時間がかかると、臓物がひからびてしまったり、血液がみんな出てしまって、とりかえしのつかぬことになるからな。——さあ、何をしてる。早く俺の体を、腰の上にのせろ」

あわてたように、三人ばかりの黒マントが、駈け寄ってきて、イオ・ハイオンのぶち切られた上体をそっと、まるでただのトルソのようにかかえあげ、それをまだ両足をふんばって立っていた腰の上にのせた。

「ばかもの。さかさまじゃないか。それじゃ、腰から上が向こうを向いてしまう。そっちは尻だ、尻だ。ぐるっと一回転させろ」

イオの上体が騒いだ。兵士たちはあわててそのイオのからだをまた持ち上げ、ぐるりと回転させて乗せ直した。

「さてと、その切り口をマントでぎゅっとしばってくれ。また離れてしまわないようにな。そして、俺をこのまんま、両足と腰のあたりをかかえてまっすぐ持ったまま、ミロク大神殿へ運んでくれ。そうしたら大導師さまがちゃんと直して下さるだろう。いやいやいや、さすがに草原の民、乱暴なことをするものだ」

「くそ……」

この一部始終を、スカールは茫然と見つめていた。

が、いきなり、我に返ったように見えた。

「きさま——ゾンビーか！　ヤガの平和を保つのは、ゾンビーの役目だというのか！

ならばよい。おい、タン・ター、サリウ、二人を決して離さず俺についてこい。俺は神罰なんか恐れはせぬぞ。俺だってゾンビーだ。ゾンビー対ゾンビーの戦いなら負けるものか！」

やにわに、スカールは、うしろのものたちに合図するなり、そこにただゆらゆらと立っている黒いマントのミロク教徒たちに切り込んでいった。

そのまま、容赦なく剣をふるい、右に左に《ミロクの騎士》たちを切り払った。切られてふっとぶものもいれば、スカールが足をあげて思いきり蹴り飛ばしただけでふっとぶものもいる。いずれにもせよ、かれらは一切手向かいをしようとしない。ただ、猿臂《えんぴ》をのばして、スカールの動きを阻止し、かれらが先にすすもうとするのを止めようとするだけだ。

そのあいだに、イオ・ハイオンのからだをそのまま、云われたとおりにまっすぐに持った連中は、どんどん、ここをはなれてミロク大神殿のほうにむかう通りへと急いでいた。もう、イオはこちらを振り向こうともしない——といったところで、ふりむいたら大変なことになったかもしれないが。だが地面の上には、スカールが両断した胴から流れ出たはずのおびただしい血も出ておらぬし、また運ばれてゆくイオの胴体を包んだマントにも、血が滲んでいる形跡はなかった。

だがもうスカールはイオにはかまってもいなかった。ひたすら、荒々しく力づくでミロク教徒たちをかきのけ、川べりを北のほうへむかって走った。

「大丈夫か！　フロリー！」

ときたま、肩越しに振り返って声をかける。フロリーはスーティを抱きしめたまま必死に走ってついてきている。それを庇い助けながら、タン・ターも、のばされた手をこれは峰打ちで振り払い、強引にフロリーの手をひっつかもうとする手はすばやく切り払い、なぎ払って、スカールに遅れをとるまいとついてゆく。サリウはしんがりを守ってよくつとめ、何も凶器をもたずにただただ両手をこちらにむかってのばして追いすがってくるのがかえって不気味な亡者の群れのようにみえるミロク教徒どもを、魔道で払いとばし、はじきとばしては、あとを追って走って追いついてきた。

六十人ばかりの群れであったが、それ以上増えるようすはさいわいにしてなかったし、その上に、とにかく一切武器をもたずに、ひたすら手をのばしてくるだけのぶきみな集団であったから、いったん切り抜けてしまうと、それほどにたいへんではなかった。ぶきみなことは、かえって通常の敵よりもいっそうぶきみであったが――スカールは、川にそって走り続けたが、途中でたまたま貸し馬らしい馬が店先につながれているのを見ると、かくしから銀貨を摑みだしてそのあるじに渡し、有無を云わさず強引に馬のくつわをとった。

「乗れ、フロリー、ちび」

自分がまず飛び乗っておいて、その鞍の前に、スーティをかかえたフロリーを引っ張りあげる。貸し馬屋のあるじが三人は無理だと悲鳴のような声をあげたが、かまわずに馬を走らせはじめる。馬は、何回かムチを入れられてやむなくよろめくようにして走りはじめる。

「ついてこられるだけ、ついてこい、サリウ、タン・ター」

叫ぶようにいうと、スカールはさらに馬にムチをいれた。

が、いかにフロリーとスーティは軽いといっても、さすがに三人をのせては通常のスピードは出ない。それにスカールはかなり骨太でずっしりとしている。それでも、徒歩で、巡礼たちを払いのけながら逃げようとしているときよりは、若干能率があがりはしたかもしれぬ。

「タン・ターどの、私の魔道で、お運びしますから」

サリウがタン・ターの肩に手をかけ、《閉じた空間》まではゆかずとも、若干それに近い魔道をかけたので、タン・ターの足も宙に浮かびあがり、かれら——五人の逃亡者は、しだいにうしろに《ミロクの騎士》たちをひきはなして、川沿いの道を走り続けた。うしろから執拗に両手をさしのべて追いかけてくる連中はだいぶ減ってきたが、まだ二、三十人はいる。そのすがたはなんとなく云いようもない不気味さを感じさせたが、それをふりむいていているいとまもない。

(部の民は……皆殺しにされてしまったのか。サリウの部下の魔道師どもも。——ということは、草原地方になんとか入るまでは、我々だけでゆかなくてはならぬ、ということか……)

よろめきながらも健気に走る馬を走らせながら、スカールは必死にこのさきの逃亡について頭をめぐらしていた。

(このままではすむまい。——あのイオがあのような化け物であったからには——ほかにも同様な化け物がヤガにはふんだんにひそんでいると見なくてはならぬ。いったん、フロリーたちを安全なところにおいてからなんとかして、ヨナを救出しなくてはと思っていたが——俺一人、あるいは俺とタン・ターだけではとうてい無理だ……)

あとから荷馬車で必死に追尾してきていた残る二人の部下のすがたももうとっくに、まったく見えなくなってしまっている。

おそらくそちらのほうは、あのおびただしい巡礼の群れのなかに、徒歩で入ったときに飲み込まれてしまったのだろう。運がよければ、なんとかしてスカールの行方をつきとめ、合流出来るかもしれないが、まずそれは不可能だと思ったほうがいいだろう。

(タミルたちがすべてやられてしまったとすると——あとは、なんとかトルフィヤあたりまでころがりこんで——俺とかかわりがあったり、好意を持っているどこかの部の民の助力を乞う以外にはなさそうだが……)

（だが、そこまでゆくのがそもそも相当に大変そうだな……むしろ、そのくらいなら、沿海州を目指したほうが近いかもしれん……）

不気味なのは、このヤガの——新しいヤガの勢力範囲が、どこまでどうひろがっているのか、それがどうにも読めぬことだ。

黙々とただ街道筋を歩いているただの巡礼団だと思っていたものが、《新しきミロク》に洗脳された、いまの連中のような不気味な兵隊であったり、はなはだしきはあのイオ・ハイオンのような化け物である、という可能性がいくらもあるわけだ。そうであってみれば、このあたりの地方一帯は、どこまでゆこうと、なかなかに安心して味方だ、草原地方のあたりまえの自由都市国家だ、と思うわけにもゆかぬ。

「もうちょっと、しっかりつかまってないと、危ないぞ、小僧」

スカールは、半分すべりおちそうになりながら必死に馬のたてがみにしがみついていたスーティを、ひょいと摑みあげて、母親の胸に戻した。フロリーも必死のていで馬の首につかまっている。一頭の馬を大人の男女二人と子供一人で乗っているのだ。それほど、長持ちせずにつぶれてしまうだろう。

（もう一頭なんとかして手にいれるか——それとも、俺が降りて歩くかだな。だがそうすると、だいぶん能率は悪くなる——どうせ追いかけてくるだろうし——それ見ろ）

実際には、スカールは予期していたので、もうそれほど驚かなかった。

だが、目のくらくらしてくるような（またか）という絶望感はあった。うしろをふりむいたとたんに、そこにわらわらと、かなり遠くからではあったが、例の黒い連中がいっこうにあきらめる風情も見せずに、両手をこちらにさしのべたまま、追いかけてきているのを発見したのだ。もう、ずいぶん遠くまできたのだから、だいぶん追手も減ったはずだ、と思っていたが、かえって少し増えているように見える。

（くそ——まるで、黒いガーガーのようにどこまでもどこまでもついて来やがるな——なんて、不気味なやつらだ）

思わず、スカールは罵り言葉をつぶやき、馬の上から、地上に唾を吐いた。

と、その刹那だった。

まるで、その唾が何かのきっかけになりでもしたかのように——目の前の土が、もくもくっと膨れあがった！

第三話　マリニアの愛

1

「きゃあああ！」

フロリーがつんざくような悲鳴をあげた。

もくもくもく……と土の山が、馬の足元に突然生えてきたようにみえた。馬もうろたえて飛び退こうとしたので、上に乗った三人は振り落とされかけて声をあげた。

「馬鹿者。落ち着けッ！」

スカールは馬を叱咤しながら、とっさに転がり落ちかけた馬の背から飛び降りた。フロリーはスーティをかかえたまま、したたかに地面に振り落とされてしまった。馬は尋常ならず怯えていたので、前足をたかだかとあげて、狂ったようにいないていた。

「落ち着け、しずまらんかッ」

叫びながらスカールはあわててフロリーのほうに駈け寄った。タン・ターもサリウもいそいでフロリーたちを助けようとかけてくる。だが土の山はもくもくと巨大化して、とうとう馬をひっくり返してしまった。

「フロリー、大丈夫かッ。怪我はないか」

「た——太子さま……」

フロリーがか細い声をあげた。

「スーティは大丈夫かッ」

「スーティ——スーティっ」

フロリーの悲鳴があがる。

「どー——どこか打ったのかもしれません。気絶してしまった。スーティ、しっかりして！」

「お前は大丈夫か」

「あ——足が……」

フロリーは弱々しく叫んだが、次の瞬間、それは絶叫にかわった。

「きゃああ、イヤーッ！」

足を土にとられた、とばかり思っていたのだ。だが、それは、そうではなかった。もくもくと盛り上がってきた土の山のなかから、《何か》の長い手のようなものが出てきて、フロリーの細い足首をぐいと握りしめていたのだ。フロリーは悲鳴をあげて、スーティを抱きしめたまま、ふりはなそうと狂ったように身をもがいた。

「た、助けて！　何かが――何かがいます！」

「ウワッ――」

さしものスカールも、フロリーに駈け寄ろうとして思わずひるんだ。

突然に、その土の山はぐわっと巨大化した。そして、スカールの背丈ほどにまで大きくなったとき、それは、ただの土の山ではなく、まるで、枯れ葉だの枯れ草だの枯れ木の枝だの、コケだの、そういうものを沢山集めた、異様な堆肥の山のようなものに変じていた。茶色のしなびた、木の枝のようなものがそのなかから伸びて、フロリーの足首をひっつかんでいたのだ。

「フロリーをはなせ！」

叫ぶなり、スカールはその化け物に突進した。スーティは、馬から落ちたときにたぶんフロリーの下敷きになってしまったようだった。そのちいさなからだは地面にぐったりと横たわったきり動かない。その目はとじたまま、小さな顔が青ざめている。

「スーティ！　ああ、スーティ！　いやーっ、はなして、足をはなして！」

フロリーが必死に、スーティを抱きしめ、下半身だけ狂ったようにもがいてその不気味な腕から逃れようともう片足で蹴飛ばそうとしながら叫び続ける。スカールはおそれげなくその堆肥の山のようにゆさゆさと揺れている怪物の、なかからのびている気味の悪いその手とも枝ともつかぬものをひっつかんで、フロリーの足首をなんとかはなさせようとしたが、その怪物は、スカールさえ及ばぬほどの恐しい力でフロリーの足をひっつかんでいた。無理矢理にひきはがさせたら、フロリーの細い華奢な足首が、折れてしまうどころか、そのまま引き抜かれてしまうのではないか、と思うほどの力だった。さしものスカールも思わず手をゆるめる。

「い――痛い、痛いッ！　あ、足が！」

フロリーが悲鳴をあげた。堆肥の山がゆさゆさと揺れたかと思うと、ふいに、そのまんなかあたりがぱくりと上下に開き、そこにぶきみな、あやしく黄色く光る二つの目があらわれた。その下にさらに、ぱくりと、口としか思えぬものが裂けるように開いた。次の瞬間、それが、どう考えても嘲弄の笑い声としか思えぬ音声を発した。

「ヒョーッホホホホホ！　キエーッケケケケ！」

「き、きさま――この化け物めが！」

さしものスカールも一瞬息を呑んだが、ただちに剣を取り直した。タン・ターとサリウがようやく追いついてきて、この怪物のありさまにひるみつつも、必死にスカールのうしろにつく。

「きさま、何者だ！　フロリーをはなせ！　でないと、叩き切るぞ！」

「ケーケケケケケッ！　ケーッ、ケッ、ケッ、ケエーッ！」

怪物は、まともな人語は発さないかのようにも思われた。ぱく、ぱく、とその、泥をかためてひびわれたかのような、横に裂けた口が上下するたびに、そこからもれるのは怪鳥のような叫びだけだ。奇怪なことに、その叫びはまぎれもない嘲弄なのだが、そのなかに、どこか苦しげなひびきがあって、呻き声のようにも聞こえるのだった。

「いやーッ、助けて、助けて！」

フロリーの声がしだいに切迫してゆく。ぶきみな怪物の手が、フロリーの足を少しずつ、強引におのれのほうへ引きずり寄せようとしはじめたのだ。

「ああーッ！　ミロクさま！　お助けを！」

「フロリーっ！　この手につかまれッ」

スカールは手をのばして、フロリーの必死にのばした片手をつかみ、自分のほうへ引っ張り寄せようとしたが、フロリーはおのれのからだの下に、気を失ったスーティをしっかりとかかえこんでいる。左手でしっかりとスーティを抱きしめたまま、右手を必死にスカールのほうにさしのべたが、ぐい、ぐいとフロリーを引きずり寄せる怪物の力のほうが圧倒的に強かった。

「おのれ、化け物が！」

叫ぶなり、スカールは剣をふりあげた。

「フロリー、足を動かすなよ！」

叫ぶと同時に、剣を、そのぶきみな、枯れ枝のような腕にむかって振り下ろす。フロリーの足を傷つけることのないよう、出来るかぎり怪物の腕のつけ根のほうによせて、一刀両断の気合いをこめて振り下ろしたが、驚いたことに、その、びっしりとコケを生やした枯れ枝としか見えぬ腕は、細いにもかかわらずおそろしく強靭だった。スカールの剣は、半分ほども、その腕を断ち切ることは出来なかったのだ。

「ギャアア!」

だが、怪物にもちゃんと痛覚はそなわっているらしい。怪物が苦悶の叫びをあげた。それでいて、半分切られた腕は、フロリーの足を放そうとはしない。切られたところから、奇妙なぞっとするねばねばとした、茶緑色がかった樹液のようなものがだらりと流れ出してきた。

「ゲーイ!　ギャゥアアアア!」

怪物が声をあげた。おのれを傷つけたことに対する抗議の叫びであることが明らかにわかった。なんとなく、もともとは、ちゃんと口をきけていたものが、なんらかの方法で、口をきくことを封じられてしまったのだろうか、というような印象をも与える。その、ひびわれた、積み上げた堆肥のようなかたちの頭の上のほうにぱくりと開いている二つのぶきみな目には、おそるべきことに、明らかな《知性》というしかないものが感じられたし、そのぞっとするようなコケと堆肥の堆積のようなからだが、いまようやく地面から立ち上がってみると、よくこのからだをそれで支えられるものだと思うような、細い、だが強靭な茶色い、コケにおおわれたぽきぽきした枯れ木のような両足と、そしてフロリーの手をつかんでいるのと反対側にも、もう一本の手があるのが見えたのだ。その手がのろのろとあがり、怒りを示すかのようにスカールにむかってふりまわされると、どっと、そのまわりから、からだからはがれて飛んだらしい枯れ葉だの、コケのかけらのようなものがあたりに飛び散った。

フロリーは恐怖のあまりすでになかば気を失っているかのようにぐったりとなっていた。その左足はまだしっかりと怪物の、半分切られた腕につかまれている。そのとき、サリウが声をあげた。

「太子さま！　きゃつらが追いついて参ります！」

「太子さま、きゃつらは私たちが！」

健気にタン・ターが叫び、そしてのろのろと、だが確実にこちらにむかってくる巡礼すがたの追手どもを引き受けようと剣を引き抜いた。

「ムダだ、よせ——きゃつらは、切っても切っても抵抗せぬ。ただ数が増えてくるばかりだ——ウームッ」

太子は呻いた。そして、もう一回、フロリーを自由にしようと、剣をふりあげ、怪物の腕に向かって振り下ろそうとしたが、その刹那、もう一方の怪物の腕がのびてきて、ぐいと払いのけた。とたんに、スカールの剣ははねとばされ、空中高く舞い上がって下に落ちた。恐しい衝撃が同時にスカールを見舞い、スカール自身もはねとばされて地面に叩きつけられ、呻き声をあげたまましばらく動けなかった。

「きゃあああ！」

なかば意識を失っていたフロリーが、はっと意識を取り戻して金切り声をあげた。スカールの剣をはねとばした怪物の手が、フロリーの抱きかかえていた、スーティにむかってのろのろとのびてゆく。

「助けてえええ！」

フロリーは悲鳴をあげた。そして、いきなり、ありったけの力をふりしぼって、スーティのからだをおのれのからだからひきはがし、スカールのほうにむかって投げつけるようにした。

「あたしは──あたしはどうなってもかまいません！　この子だけは助けて！」

フロリーの悲痛な悲鳴が響き渡った。

スカールはスーティのからだをひろいあげようと、必死の形相でからだを引きずり起こそうとした。怪物のムチのような左腕で剣をつかまれ、はらいのけられて叩きつけられたとき、かなりのダメージをくらっていたのだ。だが、なんとかしてスーティのからだを怪物の手より早くつかもうと、必死にスカールは立ち上がる力もないまま、地べた

をかきむしってスーティのほうに近づこうとした。

だが、怪物のほうがはるかに早かった。のろのろとは見えるが確実な動きで、そのぶきみな、ひびわれたコケにおおわれた枝のようなひょろ長い腕がスーティのちいさなからだに近づいてゆく――

その、刹那であった。

いきなり、飛び込んできた人影が、力づよくスーティのからだをすくいあげ、怪物の腕をかいくぐって飛び退いた。うしろから追手としてこちらに迫ってきているのとまったく同じ、巡礼の格好をした男であったから、フロリーは恐慌にかられて悲鳴をあげた。

「いやーッ！　スーティをかえして！」

「フロリーどの、心配めさるな！」

スーティの気を失った小さなからだをかるがると抱え込んだまま、ひらりと飛び退いて、怪物の手のとどかぬところまであとずさったのは、かなり大柄な男だった。さっとそのフードをうしろに払いのけ、四角ばった、だが誠実なその顔があらわれたとき、フロリーは驚愕の声をあげた。

「ああッ！　ブランさま！」

「さよう、わたくしです。スカールさま、剣を！」

ブランは、地面に落ちていた剣を片手ですばやくひろいとると、スカールにむかって放り投げた。

スカールは、それが誰によってなされたことか、などこのさい、まったく構っていなかった。上体だけおこしたまま、さっと手をあげてたくみに剣の柄を空中でひっつかむなり、その剣にすがるようにして、身をおこす。

「かたじけない。この借りは忘れん」

スカールの口から、呻くような声がもれた。

「わたくしはゴーラ宰相カメロン個人の直属部隊、ドライドン騎士団副団長ブランと申すものです。かつて、モンゴールの都トーラスにてお目にかかったこともございます。あるじカメロンの命をうけ、ヤガに潜入し、フロリーさまとスーティ王子のお身柄をお守りするよう、お二人の行方を捜しておりました！」

「そうだったのか」

スカールは剣を杖にしてやっと立ち上がり、おのれのからだに受けたいたでを調べるようにあちこち動かしてみながら呻いた。

「何にせよこのさいは助かったが――この化け物め、こやつ、何者だ。こんなやつがいるとは見たことも聞いたこともない。剣で切っても切れぬ――魔道の化け物のたぐいか」

「太子さま、きゃつらが参ります！」

サリウの声は悲鳴にたかまっていた。

「どうしましょう！」

「逃げて下さいませ！」

フロリーの悲痛な声が響いた。

「フロリー」

「わたくしはどうなってもかまいません。わたくしを置いて逃げて下さい。ブランさま、スーティを連れて太子さまと——ここから逃げて。わたくしはもうここで……」

「フロリーどの……」

一瞬、言葉を失って、ブランはスカールと目と目を見交わした。

互いに、相手を誰と知って相まみえるのは、ことにスカールの側からははじめてであったが、それはさすがに、かたや草原の鷹とよばれる黒太子スカール、そしてかたや、スカールが肝胆相照すカメロン宰相の右腕を名乗るドライドン騎士団の副団長であった。一瞬目まぜをしただけで、すでに深く、互いに感じるものはあったのだ。

「太子さま」

ブランが沈痛な声をあげた。

「あちらに私の馬がおります。スーティ王子をお連れして、ともかくここは……」

「……」

スカールは激しくくちびるをかみしめた。

それから、そろそろもうあと一、二モータッドにまで迫って来ている、黒い集団を見た。

「フロリー」

スカールの唇から、血を吐くような声がもれた。

「息子は誓って俺が守ってやる。許せ」

「あたくしは……あたしはもう……逃げられません。この化け物から……逃げることは出来ません」

フロリーは弱々しく手をのばした。

「スーティを——坊やをお願いいたします……あたしはもうどうなってもかまいません……この子だけ——この子だけは……」

「わかった。もう何もいうな」

スカールはやにわに、さきほど倒れてそのままもがいていたおのれの馬に駈け寄り、それを渾身の力で引き起こした。馬も多少傷ついているようだったし、スカール自身もかなりいたでをうけていたが、もはやそのようなことはいっておられなかった。

怪物は、幸いなことに、動きそのものはひどくのろいようだった。それをいうならば、追手の巡礼の群れも、決して、嵐のように走って追ってきたりせぬ。のろのろと、同じ速さを保ちながら、しかし確実に、決してあきらめずに追尾してくるのが、なんともいわれずに気味悪いのだ。

「スーティ――無事で……」

フロリーは怪物にじりじりと引き寄せられながら悲痛なさいごの声をあげた。

「母様のことを忘れないで……」

「太子さま！」

容赦なくブランが声をかけた。

「急ぎましょう。まだあのうしろからの連中のほかにどのような追手が待っているかわかりませぬ」

「心得た」

スカールは、一瞬別れがたい表情でフロリーを見つめた。ブランはスーティを抱きかかえたまま、川べりにむかって駆け下りた。そこにブランの馬がつないであったのだ。

その急な動きで、失神していたスーティはふっと意識を取り戻したようだった。

「母様――？」

その小さなくちびるから可憐な声がもれる。

「母様……？　どこ？」

ブランは黙ったまま、馬に飛び乗り、おのれの鞍の前にしっかりとスーティを馬の腹帯のあまりでくくりつけた。驚いて、こんどはスーティは完全に目をさました。

「母様？　――あれ？　あれ、スイランのおいちゃんだ……どしたの？　母様は？　どしたの……」

「あとで、御説明してさしあげます。何もかも」

ブランは叫ぶなり、馬にムチをあて、土手にかけのぼった。スカールもすでに騎乗していた。

「太子さま、北へ？」

「ああ」

短いいらえがもれる。スカールはタン・ターとサリウを見返った。

「きゃつらはお前らにまかせた。できることならフロリーをこの化け物から助けてやってくれ。いいか。頼んだぞ」

「母様……」

ブランが、わざと、怪物がフロリーをいまやおのれの巨大なぶきみな堆積の下にひきずりこもうとしているところを見せぬように、遠回りをして土手をかけあがったので、スーティには、フロリーがどうなっているのかは見えなかった。

不安げに、スーティはもがき、ブランの胸につかまった。

「おいちゃん、母様は……母様はどこなの？」

「いまは何も申し上げられません。ただとにかく逃げるんです」

ブランは強く言いきるなり、馬に激しくムチをあてた。

「いや……母様——母様は？」

スーティの声は、フロリーには届いていたに違いない。

だが、フロリーは、もう何も声をあげもせず、スーティを呼ぼうともしなかった。母の声をきけば、スーティが必ずや、騒ぎ出すにちがいないと思ったのだろう。フロリーはくちびるをかみしめ、ひたすらミロクの祈りを唱え続けながらかたく目をつぶった。そのからだを、のろのろと、巨大な怪物の腕がおのれのからだの下にひきずりこんでゆく。フロリーはありったけの勇気で悲鳴をかみ殺した。

スーティを乗せたブランの馬、そして多少弱っている、スカールをのせた馬、二騎はいまやもうあとをふりかえることもなく矢のようにその場を遠ざかってゆく。タン・ターとサリウは目を見交わしてうなづきあうと、おのずからなる役割分担でタン・ターはこちらにむかってくる巡礼たちを切り払って押しとどめ、太子たちの逃亡を確実なものにしようと道のまんなかに剣をかまえて立ちはだかり、サリウは魔道の印を結びながらフロリーを救い出そうと、ぶきみな怪物に立ち向かった。それをもうふりかえることなく、二騎はもう、はるかな川ぞいをかけてゆく。そろそろ日没が迫り、きらきらと北ヤガラ川の水面が光り輝く。ぶきみきわまりない、堆肥とコケと枯れ葉をかきあつめて山のかたちにしたかのような怪物は、いまや、細い両足で立ち上がり、その全長は二タールもあった。その横にぱくりと裂けた口から、どことなく悲痛な、呻きつつ助けを求めるかのような声が漏れた。

「バー……バー……ヤー……ガ……ガ……ガ……」

その手はなおもフロリーの足首をつかんだままはなそうとしない。その腕はだが、半分スカールに叩き切られて樹液のような血を流している。フロリーはもう、気を失ったように、身動きひとつせず、目をとじたままになっていた。

「わあああっ!」

タン・ターの悲鳴が響いた。巡礼たちは、タン・ターが剣をふりまわそうとどうしようと、いっこうに気にもとめなかった。そのまま、タン・ターのからだは、巡礼たちの山のなかに飲まれてゆくようにすがたを消し、ただ、さしのばされた手だけが見えて、そのさきから、きらりときらめいた剣が宙にはねとんで遠くに落ちるさまが見えた。サリウは、怪物にむかって必死に魔道の攻撃を繰り返していた。だが、サリウの攻撃など、この巨大な怪物には、何ひとつ役だってはおらぬようだった。フロリーはもうすでに失神しているようだ。

そのとき、ふいに、ゆらりと空中から、黒いかたまりのようなものがあらわれたかと思うと、一瞬にしてひとのすがたをとった。やはり、ミロクの巡礼の黒いフードつきのマントをつけた、だがほっそりとしたまだ若そうなすがたであった。ただの巡礼ではないあかしに、腰に赤いサッシュをしめ、首からかなり大きなミロク十字のペンダントを下げている。それはミロクの僧侶のあかしだった。それもかなり身分が高いようだ。

「何をぐずぐずしている。しかも目当ての子どもまで、取り返されてしまったのか」

鋭い声が響くと、巨大な怪物は、まるでムチで打たれるのをおそれる犬の子ででもあるかのように、ぶるぶるっと身をふるわせて身をちぢめた。とたんにばさばさとコケがからだじゅうから剝げて落ちる。

「この女か――ふん……しょうもない、肝心の子どものほうは逃してしまったのだな。どうしたものか……」

まだ若い、だが非情さをはらんだ鋭い声だった。ひょいと、彼が、フードをうしろにはらいのけると、怪物は悲鳴をあげた。ひどく、この若い巡礼姿のミロク僧を恐れているようすが見てとれる。

「フロリーさまを返せ!」

勇敢に、サリウは叫んだ。それを、ミロク僧はばかにしたように見た。

「なんだ、この木っ端魔道師は……こんなものがまだ残っていたのか。えい、邪魔くさい、消えてしまえ」

そのマントの袖から、細い指先が二本そろえてサリウに向けられた瞬間、サリウの口から絶叫があがった。

次の瞬間、サリウのいたところには、ひとすじの煙がたちのぼっているだけであった。うしろのほうで右往左往している巡礼たちを、若いミロク僧はばかにしたように見た。

「お前たちの役目はもうすんだ」

鋭い声が、しだいに夕闇のおりてくるヤガの郊外の川ぞいの空間をつらぬいた。

「とっとと自分たちの宿へ戻れ。そして、また御命令を待っているのだ。さあ、さっさと消えてしまえ」

「………」

「………」

巡礼たちは、ひとことも云わずに、黙々とその命令に従った。巡礼たちがあちこちの路地にわかれて入っていったあとに、路上に残っていたのは、無残に押しつぶされたタン・ターの死骸だけであった。

「目障りな」

若いミロク僧はつぶやくなり、それにまた二本の指をむけた。タン・ターの死骸も、一瞬にして蒸発し、あとには一抹の煙だけが残った。

「このまま追ってもいいが——なにやら、超越大師さまの云っておられなかった要因が出てきたな。——あの騎士、ゴーラのカメロンの騎士団の副団長だと云っていたが…

「……」

ミロク僧は眉をしかめてつぶやいた。夕陽に照らされたその顔は、まだ二十代はじめとさえ見えたが、なかなか端正で、そしてこの上もなく酷薄そうであり、ミロク僧にふさわしい慈悲忍辱の様相など、影さえも見えなかった。

「まあよい。とりあえず、その女を連れてゆけ。また、大師さまがよいように考えてくださるだろう」

僧は云った。コケの山が動き出したような怪物は、気を失ったフロリーのからだを、もう一方の手をのばして、両手でひょいとかかえあげた。その巨大なからだの前にかかえこまれて、フロリーはまるでほんの小さな幼女のように小さく、はかなく見えた。

「行くぞ。ついてこい」

ミロク僧は云った。次の瞬間、僧と、そしてフロリーをかかえた怪物のすがたとは、ふわりと宙にとけこむようにして消えていた。

あとに残ったのは、ただ、北ヤガラ川の夕闇だけであった。

2

「もう——このくらいまで……来れば——とりあえずのところは大丈夫でしょうか……」

さすがに、かなり息を切らしながら、ブランが声をかけたのは、もうとっくにヤガの市中をぬけ、郊外の小さな村落をもいくつか駆け抜けたあたりになってからだった。スカールは速度を落としたブランの馬に馬を寄せてゆきながら、ゆっくりとうなづいた。

「それにもう俺の馬は走れん。——これはさきほど、川べりの貸し馬屋で借りた駄馬だ。もう、ほとんどつぶす寸前だ。だがまあよくここまでもってくれたものさ」

「とりあえず、このあたりなら、また次の馬を借りてもあやしまれることはないのではないかと……それに、とりあえずスーティ王子さまに、お夕食と——宿をなんとかしてさしあげませんと」

「お前とは、話をつけねばならぬことがいろいろあるようだ」

スカールは薄く笑った。だが、その笑いには影があった——我が子を救うために、怪物の犠牲になった——とかれらは信じていた——その母のことを、どうしても考えざるを得なかったからだろう。

「はあ。わたくしも、まさかにこのような場所で、アルゴスの黒太子スカール殿下がフロリードのとスーティ王子を守るようなことになっておられるとは、まったく思ってもおりませんでしたので——いろいろうかがいたいこともございます。まずは、宿を探しましょうか」

「お前はなかなかしっかりしていてよいが……」

スカールは眉をひそめた。

「まだ、多少俺としては、これでもまだヤガに近すぎる、という気がしてならぬ。今夜は、野営したほうがよくはないか。この坊主ならば、けっこうしっかりしている。一夜、野営したからといって、かぜをひかせることもないとは思うのだが」

「はあ……」

心配そうに、ブランは、さきほど馬から抱え降ろしたスーティをそっと見下ろした。

スーティは明らかに、おのれの身と母の身とに、きわめて重大な事件が起きたことをはっきりと感じ取っているようだった。そして、ある意味では、それは仕方のないことなのだ、と考えてさえいたのかもしれぬ。

だが、母の運命については、どうしても納得するわけにはゆかなかった。それでも、スーティは、これがよほどの大事であることをわきまえて、きっときかぬ気に唇を結んだまま、母を呼んで泣きたいのをこらえて、しっかりと馬とブランとにしがみついていたのだった。

「お前はまた、よほど気性の勝った子だな。さすが、あの父親の息子だ」

そのようすをみて、さしものスカールも、思わず感嘆の声をかけてやらずにはいられなかった。

「一万人の王子がいたとしても、この幼さで、このようにふるまえる王子など、そのなかに一人か二人であっただろうからな。大丈夫だ、案ずるな。お前の母に俺は誓った。お前の身柄は俺が確実に守ってやる」

「………」

スーティは何も云わなかった。それどころではないのだ、と言いたげであった。

そのバラ色のふっくらとした可愛らしいくちびるはぎゅっとひき結ばれ、誰にも気を許すものか、というかのように、ブランのほうをも、スカールのほうをも見ずに、宙を見据えてじっと黒いまるい大きな目を見開いているようすは、とうていまだ三歳になるならずとは思えなかった。すでに、五、六歳、いや、もしかしたらそれ以上の子供の知能に近いものが、この子のなかでは育っているのではないか、と思わせるほどのものが、その強烈な意志と激情をこらえるようすのなかにある。

「驚いたものだな」

さしものスカールも、そっと低く、ブランに囁かずにはいられなかった。

「柄は確かに相当大きくはあるが、これで本当にまだ三歳なのか。この子は、もう、まるですべてわかってでもいるかのようにふるまっているではないか」

「クムを旅する最中にも、この王子様には何度驚かされたかわかりませぬ」

ブランもまた、いたましげに低い声で云った。本当は、しっかりと、最愛の母といきなりひきはなされてしまったこの子を抱きしめてやりたいのだが、そうしてよいものかどうかと、迷っているふうだった。

「気性もしっかりしておられれば、幼いながらすでにお母様の騎士としての意識も持っておられましたし——いったい、このさき、どのようなお子に育つのかと、誰もが楽しみにせずにはおられぬようなお子さまです。おそらくは、お父上も、このお子を見れば、おのれの幼いときそっくりだというこのお子を愛さずにはいられますまい」

「お前は、カメロン宰相の右腕にあたるものだと名乗り上げたな」

スカールはそのことばで、いまひとつの重大な問題を思い出した、というように、ゆるゆると馬を歩ませながら云った。

かれらは、とりあえず今夜安全に宿れる場所を探して、ゆるゆると街道筋を歩きはじめていた。疲れ切った二頭の馬たちは、のろのろと重たい足を運んでいた。スカールもブランも馬とは深いえにしもあれば、つきあいもある騎士だったので、疲れきった馬をこの上ひどい目にあわせる気にはなれず、ゆっくりと馬の手綱をとって馬につきそって歩いていた。スーティだけを、一応ブランは馬に乗せようとしたが、スーティは首を横にふって拒み、ちょこちょこと、ブランの手につかまって黙り込んだまま歩いていた。

あたりはしだいにヤガ郊外から遠ざかってきて、深い森がひろがるあたりに入り込もうとしていた。タミルたちが無残で異様なさいごをとげるはめになった場所は、スカールの知るすべはなかったがもうちょっと東寄りであった。スカールとブランはまっすぐに馬を走らせて、とりあえずヤガ圏内を北側に抜け、草原の南に出るように動いていたのである。

その街道はいたって古いもので、もう、巡礼たちもほとんど使っていないように見えた。赤煉瓦もすりへり、いつ修復したとも知れなかった。そのかわり、そこを通り過ぎる巡礼たちの姿もほとんど見えぬ。また、近くにはあまり大きな集落はなさそうで、ぽつり、ぽつりと、三、四軒がかたまって身をよせあっている小さな農家の小集落があるだけだ。だが、いまのかれらにとって、そうやって、ほかの人間たち——ことにミロク教徒とおぼしき人間のすがたが見えない場所くらい、ほっとさせてくれるものはなかった。ミロク教徒にも巡礼にも、異様な怪物の突然の登場にももう、かれらはうんざりしきっていたのだ。

ヤガの本当の北側は、あまり高くはないがそう気楽には越えられない、横に長々と続いている『ヤーラン山脈』が続いている。草原に名高い天山ウィレンなどと比べたら、それこそ、山というよりも丘というていどの低い山々であり、だが逆にそれがあるがゆえにヤガ、スリカクラムなどの比較的海沿いの地方の自由都市が草原の民の激しい侵略から守られやすかったのだともいえるが、いまの場合は、スカールとブランにとっては、その程度の山々でも、こえるのはなかなか難儀であった。幼い子供連れなのである。

それゆえ、かれらは道をかなり西むきにとり、とりあえずトルー・オアシスの方向へ向かう、ということには、云わず語らぬうちに一致していた。このままヤガの圏内にいることは、あまりにも危険であった。いつ、どこからおそるべき敵の追手が出現するかわからないのだ。それに、敵の本当の目的がどうやらスーティにあるらしいことは、フロリーをとらえたときのかれらのようすでわかっていた。

「はい。わたくしは、カメロンもとヴァラキア提督直属、ドライドン騎士団副団長をおおせつかっております、ブラン・クィーグと申すものです。通称はブランのみで通っておりますので、どうぞそうお呼び下さい」

「ヴァラキア人か」

それで納得がゆく、というように、かろくうなづきながらスカールは云った。

「もとはカメロンのもとで船乗りをしていたものが、カメロンについてモンゴールに国替えした、ということか？」

「はい。カメロン船長ひきいるオルニウス号でずっと水夫長をやっておりましたので、どうしてもカメロン船長とはなれるに忍びがたく、陸の暮らしはまったく性にあわぬとは知りつつ、カメロン船長についてモンゴールへ、そしてゴーラへと参りました」

「ということは、いま、ゴーラ王に忠誠を誓っているというわけではない、ということか？」

鋭く、スカールが云う。ブランは、スーティが疲れていないかと気にしてのぞきこみながら、うなづいた。

「こういうさいでございますからはっきり申し上げます。わたくしの忠誠は一にカメロン、二には、縁とわけあって、ケイロニアの豹頭王グイン陛下に捧げております」

「グインにか」

意外そうな声をスカールはあげた。ブランはうなづいた。

「これも、カメロン宰相の命令により、フロリーどのとスーティ王子を、イシュトヴァーン陛下に知られぬよう、取り戻せという密命を受けまして、なんとかグイン陛下ご一行を捜し当て、それと同道してクムでの冒険行を切り抜け――しかし、おのれのなかにそのような二つの忠義が出来てしまいましたことに戸惑って、結局グイン陛下がパロにお入りになる前に、おいとまをいただき、ともかくカメロンに何もかも報告して判断してもらおうと考えてゴーラに戻りました。——その結果、カメロンからは、再び、パロをはなれたからにはもうグイン陛下とのかかわりはあるまいゆえ、フロリードのとスーティ王子のことをよく知っているわたくしに、お二人をひそかにお迎えし、取り戻して参れ、とのあらたな命令を受けましてこのようにヤガへ」

「お前は、草原の民のように率直に喋ってくれる。まことにやりやすくていいな」

感心したようにスカールは云った。

「それで、お前は単身で乗り込んできたのか」

「いいえ、それはさすがに危険かと、五十人の部下をともないました。その五十人には、ミロクの巡礼の作法などを仕込むのにしばらくかかりましたが、それをヤガにともない、町中に放ちましたので、皆様がヤガを脱出しようとされている折には、かろうじてフロリードののありかをつきとめることが出来たようなところでした。——その後、意外な展開になったのを見極めて、私の部下どもは、目立たぬように数人づつヤガを抜け、トルー・オアシスにゆく途上に、ボーエンという小さな村落がございましたのを、来る途中で確認しましたので、そこを目当てに集結するよう、命じてあります。——とりあえずそこを目指せれば、わたくしの配下五十人はいまのところまだ一人も無傷のままでありますので、そこで合流出来ます。——と申して、その部下どもごときをあてにして太子さまにたてつく、というような愚かなつもりはございませんが……太子さまの御意向を伺わないことには……」

「まあ、そうだろうな。——だが、ちょっと待て。見ろ。あそこにある古い打ち捨てられた納屋、あれなら、この子をひと夜かくまってやるにうってつけだとは思わぬか？」

「ああ、よろしゅうございますね。ちょっと街道からも奥まっていますし、あのようすから見るともう、相当長いこと使われておらぬようです。王子様もかなりお疲れでしょう」

そっと、ブランがスーティをのぞきこむと、スーティは、きっと唇を結びしめて横をむいた。

「お腹もおすきでしょう。——ブランが、何か食べるものを調達してまいりますよ。——どれ、スーティさま、ちょっとブランが抱っこしてさしあげましょう。本当はもう、このまま眠ってしまいたいくらいお疲れだと思いますよ。ご心労もありますでしょうが」

ブランは、スーティの高い知能のことを考えているのだろう。二、三歳の幼い赤ん坊に毛の生えたような子供ではなく、もっと上の、六、七歳くらいにはなる、ものの道理のそろそろわかりはじめた子供に対するようにスーティを扱っていた。スーティは、じっとブランを見つめたが、黙ってうなづいた。

「あそこの納屋で、よろしゅうございますか？　太子さまもご異存はございませんか」

「あそこなら、まあ身は隠せそうだな。もうちょっと本当はヤガ圏内から遠ざかっておきたいところだが、もうこんなに夜がふけてしまっては、かえって何くれと危険が増すかもしれぬ」

そのようなわけで、二人は、スーティと二頭の馬をつれて古いひなびた街道からはずれ、林のなかの一本道に入っていった。その奥に見えている古い納屋は、月あかりに照らされて、いかにもひっそりと、もう長年ひとがこの近くに足を踏み入れたことさえない、というように見えた。

だが、中に入ってみると、床はしっかりと泥土を踏み固められてあってかわいていたし、屋根もしっかりと、雨が漏れることもないように内張りがしてあり、もともとは馬小屋に使われていたのだろう。ちょうど、三、四頭の馬をつなげるようになっているうまやが納屋の半分を占めていて、のこり半分には、大人の胸ほどの高さに二階が張ってあった。その上には、古いしきわらが奥に押し込むようにして放置されたままになっていた。

「これはいいな。なんとか今夜は心地よく過ごせそうだ」

スカールはあたりの様子をよく検分すると、そのしきわらをかきあつめて三人分の寝床になるようにしてやり、マントを脱いでその上にひろげた。ブランは早速、手近に何か食物を求められぬかと出かけていった。スーティは、黙ったまま、じっと胸に何かを握り締めて、大人たちのやることを座り込んで見つめていた。その握りしめているものは、母のフロリーがスーティの首にかけてやっている、ミロク十字のペンダントであった。

スカールは、ブランが出かけているあいだに、あちこちのしきわらをかき集め、その上にマントを敷いたり、ありあうぼろぎれを納屋の隅に見つけだしてきて、それをしきわらの上に敷いたりして、なかなかよく働いた。納屋はとても暗かったので、スカールはかくし袋にいつも入れて持参している火打ち石を使って、納屋のまんなかにしつらえられていた小さないろりに火をおこした。ちょっと外に出て枯れ枝をとってきてくべると、火はすぐ燃え上がったが、外から火を見られたくなかったので、スカールはあまり大きな火にしようとはせず、その上に納屋の窓に内側からぼろぎれを張って外から見えないようにした。

「どうだ、これでかなり立派な寝床が出来たぞ。あやしいやつらが襲ってくることがなければ今夜はここで居心地よく眠れる」

ようやく、夜支度が一段落すると、スカールはじっとすみっこに辛抱強く座っていた少年に――スカールとしてはとても優しく語りかけた。

「お前はとても立派にふるまっているし――年齢を考えたら想像もつかぬほど立派にふるまっている。だが、本当に疲れたたし、心労も酷かろう。案ずるな。お前の母は無事でいると俺は思うぞ。そのうち、俺がなんとかしてお前の母親を救出してやろうし、それまでは、とにかく何があろうと俺がお前を守ってやる。それについては俺を信じていろ。あのブランという男とは、前から知り合いなのだな」

「………」

スーティはしばらく考えていたが、こっくりとうなづいた。

「どこで、知り合ったのだ」

「スイランのおじちゃん……クムで、あっちこっちでおしばいしてるときから、いっしょいたよ」

その話は、大切なことだ、と子供心に感じるらしい。スーティは、ぼそぼそとだが、はっきりと答えた。

「おいちゃん、たくさんたくさん……すーたんや母様のこと、おたすけしてくれたよ。――おいちゃん、いっしょにおしばいしたよ。すーたんが、わるもんになったおいちゃんをおしばいのかたなでやっつけたよ」

「あの男は、信用出来る男だと思っているのだな、お前は。スーティ」

スカールはまるで、れっきとしたおとなか、あるいはもう十五、六の少年にでもたずねるようにたずねた。スーティはまたちょっと考え――そしてまた、はっきりと意味のわかっているようすでうなづいた。

「ブランのおいちゃん、いいひとだよ」

「お前がそういうなら、俺もあの男を信じることにしよう」

スカールはちょっと愉快そうに云った——このような幼い子供が、このようにしっかりとした考えを持っている、ということが、スカールにははじめてのことでもあったし、それゆえに、なかなかに痛快でもあったのだ。

「お前の身のふりかたについても、あの男とちゃんと話し合って、一番お前のいいようにしてやろう。お前は、本当の話、我々がお前の母様を取り戻しにきてやるとしたら、そのあいだ、どこにいるのが一番好ましいのだ？　俺のいっていることがわかるか？　お前は、お前の父親のことを知っているのか？」

「父様？」

スーティのまるい大きな目が曇った。

「よくわからないの。父様会ったことないの。すーたんグインのおいちゃんのとこにゆきたい。グインのおいちゃんに会いたい」

「ほう。坊主は、グインのおじさんが好きなのか」

今度は、スーティは非常にはっきりと強くうなづいた。

それを見て、スカールは思わずクセになっていたので髭をなでようと手をあげたが、触ったのは、今日一日の無精髭でざらりとなった逞しいあごだけだった。スカールは苦笑して、そのあごをなでた。

「そうか。坊主は、グィンのところにゆきたいか――誰だ」

「ブランでございます。ただいま戻りました」

ブランがすべりこんできた。

「ずいぶん、早く戻れたな」

「思いのほかに近くに、小さな、ほんの二、三軒ばかりの集落がありましたので、食べ物を案外簡単に手に入れることができました。やはりこのあたりの住人はみな、ミロク教徒ですので、親切です。それにこの納屋は、そのなかの一軒の農家が、遠い畑を耕しにくるときに使うものだそうで、そんな汚い納屋でよければどうぞいくらでも使ってくれ、という許可まで貰いました。おまけに、小さい子どもがいるのだといったところ、いろいろと親切にしてくれまして」

ブランは手柄顔に、二階に飛び上がると、しきわらをちょっと押しのけて場所を作り、そこに収穫を並べた。それは手柄顔をしても不思議はないくらい充実した獲物であった。

「小さいお子がいるなら、馬もいるし、母屋にとめてあげるから連れてきなさい、とさんざんすすめられたのですが、あとで皆さんに迷惑がかかっても何だし、とかたくお断りしたところ、ではこれを持って行くがいいと、毛布も貸してくれましたし、それに、ほうら、王子様。お好きな牛乳がありますよ。それも、親切なおばさんがあたためてくれましたから、まだ少しあたたかいですよ。お腹もおすきでしょう。おのみなさいまし」

ブランがすすめて、小さな、携帯用の銅製の牛乳入れのフタになっているカップをとってまだあたたかい牛乳を注いでやると、スーティは思わず目を輝かせて、飛びつくようにしてむさぼり飲んだ。本当は、空腹と疲労と、そして最愛のただひとりの母とひきはなされてしまった不安と悲しみとで、気も狂わんばかりだったのだろう、ということが、そのようすからよくわかって、思わず二人の戦士たちもちょっと横をむいた。

スーティはよほど空腹だったらしく、三杯たてつづけに牛乳を飲んだ――が、そこで手をとめると、「おいちゃんたちは飲まないの？」とかれらを気にするのだった。

「おいちゃんたちにもいろいろおいしいものがありますよ。さあ、王子様、これも召し上がって下さい。肉まんじゅうもありますし、ガティ麦のパンに干し肉をはさんだものもありますよ。これはちょっと王子様には固いかな。――それに干し果物も貰ってきましたし、干しイモも当座の食料に持ってゆけと渡してくれました。明日の朝に母屋をたずねてくれれば、あったかいおかゆを食べさせてやるし、干し肉入りのスープも作ってくれる、これから先しばらく宿もないから、弁当も二、三食分作ってやろうといってくれていますよ。本当にミロクの徒は親切で助かります」

「そのままでいてくれれば何ひとつ問題はなかったものをな」

スカールは云わずにいられなかった。

食べ物は、とても腹を減らした二人の戦士と、末は相当に大食漢になりそうながっちりした体格の三歳児を充分すぎるほど満足させるくらいあった。ミロク教徒のくれたものだけあって、ボリュームのある肉などはあまりなかったが、肉まんじゅうには、野菜あんのあいだにちゃんと羊肉の挽肉が入っていたし、干し肉もあったので、三人とも満足出来たのであった。ブランは手早く食事をおえると、飛び降りて、うまやのほうにゆき、二頭の馬を手入れしてやり、汗をふいてやり、水をのませ、やわらかそうなわらを少しと、外からとってきた新鮮な草をかいば桶に入れてやった。

「明日も働いてもらわなくてはならないんだからな、お前たち」

ブランは馬の首を叩いてやった。

「ここに戻るついでに、この周囲もくまなく様子を見て参りましたが、とりあえずその段階では、ひそんでいて夜中に襲ってきそうな追手の気配はございませんでした、太子さま」

「そうか」

「むろん、あのような神出鬼没というより、怪物じみた——やはりあれは魔道師なのでしょうか、ああいう連中を抱えている敵のことですから、安心は出来ませんが——今夜はわたくしが不寝番をいたしますから、太子さまはぐっすりお休みになって下さい。明日になれば、わたくしの部下どもと合流出来ますから、そうしたら、もうちょっとは安心してお休みになれましょうかと——スーティ王子様、いろいろとご心痛でしょうが、きょうはもう、本当にお疲れですからね。ともかく、寝んねしましょう。明日になれば、いろいろといいことがはじまりますよ、きっと」

「………」

スーティは、よほど、母のことについて、問いただしたかったに違いない。

だが、かれらにきいたところでどうなるものでもない、ということもまた、この聡明な幼児にはよくわかっていたのだった。

それゆえ、スーティは、空腹をみたすと、おとなしくくるりとしきわらの上にスカールが敷いてやったマントの上に転がり、そっと親指をくわえてちゅぱちゅぱするのだけが、唯一の悲しみと不安の表現のようにまるく小さくなった。それを見ていて、たまりかねたように、ブランは、そっと手をのばしてスーティの小さなからだを抱きしめた。

「ブランがおりますよ。スーティ王子さま、ここに、ブランのおいちゃんがおりますよ」

悲しさにたまりかねたように、ブランは、しっかりとスーティを抱きしめた。

「必ず、お母様は取り戻して差し上げますからね。——もう何も御心配なさらずに、お休み下さい。わたくしもスカール太子さまも、スーティさまのことを守ってさしあげるためにこそ、ここにいるのですからね」

3

いろいろと強い心労や心痛はあったにせよ、それは何をいうにもわずか三歳になるならずの幼い子供には、あまりにも荷の勝ちすぎた冒険の一日であったのに違いない。ブランの胸に抱かれていくらか安心した途端に、スーティは、まるで墜落するように眠り込んでしまった。よほど気も張っていたのだろうし、また、スカールよりは、ブランのほうがやはり、多少の馴染みがあって安心感もあったのだろう。ブランは、借りてきた毛布にスーティをくるんだ上から、寒くないようさらにおのれのマントを布団がわりにかけてやりながら、そっとスーティのつややかな髪の毛をなでてやっていたが、やがてほっとしたように上体を起こした。

「よく、お休みになられたようです」

「ああ」

「お可哀想に――こんなにお小さいのに、なんとも数奇な運命をたどられるものだ！――

――スーティさまのお父上とても、きわめて数奇な運命を辿られたことは誰もが存じておりますが、そのお父上でさえ、わずかこのくらいの年齢でこれほどの変遷を経ることはなかったでありましょう。——でも、本当に可哀想で見ていられないくらい、必死に耐えていられる。——涙が出てきてしまいますよ」

「確かに、尋常ならざる子だ」

スカールは、おのれはとりあえず警戒のためにも、二階にあがってのんびりするつもりはなかったので、もう一枚の毛布をしいてそれにくるまっていろりのかたわらに身をのばし、剣を抱いていつでも飛び起きられるようにそなえながらうなづいた。

「こんな子供は見たこともない。——これがあの父親の血のゆえだ、というのだったら、残念ながら、それもまんざら意味のないことではなかった、と認めざるを得ないようだな。それほど、この子はりっぱにふるまっている」

「どれだけ、御心配で——どれだけ、母上のことを聞きたいでしょうに、とうとうひとことも口に出そうとされなんだ」

ブランはスーティのつややかな頭の上で、そっと涙をぬぐった。

「あのとき、見たかぎりでは——あの怪物に引き込まれようとしてはいましたが、まだその……決定的にどうこうなった感じではなかった。気を失ってしまわれたようだったが——あのあと、あの化け物があのかたをどうしたかによりますが、もしかして、まだ……望みはないわけではないかもしれない」

「いずれこの子を落ち着けるところに預けたら、母親を取り戻せるかどうか、ヤガに潜入してみるさ。どちらにせよ、ヨナを救出せねばならぬのだからな、俺は」

スカールは低い声で云った。ゆらゆらといろりの小さな火が揺れて、壁にあやしい影を落としている。

「いやはや、大変な一日だったものだ。――いや、ヤガに入り込んでからはずっと大変だったといってよい。……それにしても、あの化け物はいったい何だ。あんな化け物は見たこともない。――あのようなものが地中から突然出現するようでは、ヤガもろくなところではないな。――というより、いったいヤガはどうなってしまったのだ」

「それについては、わたくしもまったく仰天いたしました」

ブランは用心深く云った。

「まるで、泥の山が動き出したようなしろものでした。あやつはいったい何者でしょうか？」

「俺にわかろうはずもない。――さしも猜疑心にみち、超常現象を信じたがらぬ草原の民たる俺も、この永の年月あちら、こちらと放浪してきて、ずいぶんとあやしげなものも見聞きした。ノスフェラスの奥深くも分け入ったし、偉大な魔道師どもなどという連中ともつきあうようになった。それゆえもう、いまの俺はかつてのようにかたくなに、この世にはあたりまえの出来事以外ない、などというつもりはないが、それにしてもあの怪物はいったい何だったのだろう」

「わたくしの考えでは——わたくしとても、そんな魔道だの超常現象に詳しいわけもない、沿海州生まれの民でございますが……あれはやはり、おそろしく変形してはおりますが、人間で……おそらく、魔道師なのだろうと思いました」

「ウム……」

「あの出現のしかたは確かに魔道師のそれかと思えますし——見かけはおそろしく、あまりにも人間ばなれしておりますが、あの怪物の目——たぶん目なのでしょうが、それを見たとき、わたくしは、ぎょっとしたのですが——なんとなく、あの怪物は何か助けを必要としているように思えました。——ああしてフロリーどのを連れ去ろうとしたときにも、おのれの欲望や残虐な欲求からそうしているというよりも、まるで、そう命じられたから——何者かにそう命じられたので、それを果たそうとしているのではないか、というような気がしたのですが。それはあの、からくり人形の群れのように押し寄せてくる巡礼姿の化け物どもをみても、同じように思えました。あれはあきらかになにかによって精神を操られ、のっとられていたように思われます」

「おそらくな。それは俺もずっと思っていた。それに、正気を失っているというよりは、なんとなく、眠ったまま、その夢のなかで操られてああして行動しているのではないかというような——半分、目のさめておらぬ人間が、暗示にかけられて動いている、というような感じで、あえていうなら魔道師のあやつるゾンビーどもに襲われたよりもはるかに怖くなかった。逆にいえば、それだから、たいして害をなすわけでもないので、何も武器をもたぬきゃつらを剣で次々に殺して逃げようとするというのが、なかなかやりづらくて大変だったが――しかし、結果的にはきゃつらはタン・ターを踏み殺してしまっただろう」

スカールはぎゅっと拳を握りしめた。

「あのように、武器ももたず、ただひたすら大勢で詰め寄ってきて取り囲んで押し寄せてくる、というのも、立派に攻撃にもなれば、そうして危害を加えることも出来るのだ、ということは、俺はこれまで知らなんだ。――おそらく俺が思うに、やはりミロク教徒には『殺してはならぬ』の禁忌はきわめて強いので、たとえ眠っているところに暗示をかけて動かすといっても、剣を握って、それによってひとのいのちをとらせる、戦わせる、というようなことはさせるのが大変なのではないか。――だから、そのかわりに、あの程度までの暗示で、ひたすら押し寄せてくるように命じて、それによってゆくてをふさぎ――まあ最終的には、あのイオ・ハイオンのようなかしらだった奴が出てきて魔道なり、剣の力なりをふるっておのれの思ったようにするのだろうがな」

「イオ・ハイオンというのは何者ですか」

ブランがたずねたので、スカールは、ブランがまだそれを知っていなかったことに気付いて苦笑した。

「イオ・ハイオンはどうやらあの連中を操っている《新しきミロク》という――教団のていをなしているのか、何十人かそれに賛同するやつがいるだけなのか、そのへんのことは俺にもまだよくわからんのだが、ともあれ、その《新しきミロク》という団体の幹部のやつで、俺とヨナとはそやつにだまされてそやつの邸に誘い込まれたのだ。そうしたら、きゃつは、なんだかんだと口実をもうけて、我々をその邸から出さぬようにしようとした。――我々だけではない。いま、ヤガに流行っているという『兄弟姉妹の家』とやらいう建物にうかうかと泊めて貰ったり、参加したりすると、ヤガから出してもらえなくなり、自由に行動することが出来なくなり――だが、最終的にはどうやら、それがおそるべき禁足であり、拘束であるのだということを、されている側がだんだん気付かなくなってしまうようだな。そうして、あのように、なかば夢のなかで操られる存在になっていってしまうのではないか、と俺は推測した。イオ・ハイオンというやつは俺がこの手で、まあたいした剣ではなかったとはいえ叩ききって一刀両断したはずだったのだが、その俺の目の前で、平気な顔をして、切られた上体が指図して、あの人形のような巡礼どもにおのれの上体と下半身をつながせて『早くミロク大神殿にいってつないでもらわなくては乾いてしまう』などというようなたわけたことをほざきながら逃げていったのだ。その前には、やはりパロからヨナを迎えと護衛に入り込んでいた魔道師を、そのイオ当人が一瞬にして燃やし尽くしてしまった。どうやら、イオ・ハイオンというやつも、本当の、中原でいわゆる魔道として確立され、パロで魔道師ギルドになっているものとは違うかもしれぬにせよ、ある種のまやかし、手妻、あやかしの魔道などは使うようだ。――だとしたら、あの化け物のようなやつがいたところで何の不思議もない……問題は、これまでのヤガには、まったくそのような魔道は禁じられていたし、使われてもいなかったし、また、魔道師が入り込むこともなかった、ということだ」

「ということは、ヤガが――なにものか魔道師に乗っ取られつつある、ということなのでしょうか？」

ブランは真剣な顔で身を乗り出した。が、胸にかかえていたスーティが、「うーん」とかすかな声をあげたので、あわててまたもとの態勢に戻った。

「俺はそう思う。――それも、ヤガに入り込んで俺の見聞きした情報をあつめて判断したところによると、たぶん本当にかしらだったものが十人ばかり、それを補佐するものが二、三十人、そのくらいの連中がヤガを私せんとして、じわじわとミロク教そのものを変貌させようとしている、という印象を受ける。――われらにそれについて教えてくれたものが云ったのは、なんとかという長い名前の《超越大師》とやらいうやつがいて、どうやらそれが指導者らしいということ――その下に、《五大師》と名乗る連中がいて、そのほかに《ミロクの聖姫》だの《ミロクの騎士》だの、というたわけた名前を名乗るものたちがいるらしい、ということだった。さしてきちんと組織化されているほどとも思えなかったが、俺の想像では、もしかして、あのさっきフロリーを襲ったいまわしい化け物、あれがその《五大師》のひとつなのではないかと——イオ・ハイオンは、ロぶりやすることとなすことからも、たぶんとてもそんな上のほうの幹部ではなく、それらに使われている忠実な部下というように見えた。だが、その程度のものでも、何百人という食客を家にかかえこみ、非常にゆたかで、そしてミロク大神殿にそれなりに顔がきくのを自慢にしているようだったのは本当だ」

「おそらく、その《五大師》とやらの下にそれぞれ、また何人か隊長というか幹部クラスのような連中がいて、それが直接にか、もうひとつかふたつ間があるのかは知りませんが、それがあの機械人形のような巡礼達を操って思い通りにしている、ということなのでしょうか?」

ブランは考えこみながら云った。

「だとすると、ヤガ本来の——本当の古きミロク教団の指導者というものはどうなっているのでしょうか。たとえばミロク大神殿に軟禁されたり、あるいは監禁されたりしている、というようなことになるのでしょうか?」

「俺は古い本来のミロク教団のことについてはほとんど知らぬ」

スカールはややにがい顔をした。

「旅の途中ヨナにいくらか教えてもらった程度の知識しかないが、それによれば、もともとのミロク教団はそのように偉大な一人の予言者や指導者のもとに集結したような教団ではなかったようだ」

「はあ……」

「むしろ、そのようにして、一人だけの指導者が祭司長として、あるいは大僧官として組織を掌握し、権力を握る、というようなことは禁止されていたらしい。本来は神殿を造ることさえも禁止され、小さな集会所にミロクの画像などを飾って、そこでミロクの教えを語り合うことだけが許されていた、というのが、俺がヨナからきいた、かつてのミロク教のありさまの話だった。——その点からも、巨大なミロク大神殿が建設され、そこに沢山の僧や神官がたむろし、そして《超越大師》だの《五大師》だのという連中が巣くっているという、いまのミロク教団は、とうてい、かつてのミロク教団とは似ても似つかぬものになってしまっているようだ」

「それは、結局、なにものかが、ミロク教団に目をつけて、それを乗っ取ろうとしている、ということなのでしょうか？」

「おそらくそういうことだと俺は考えている。——それも、のっとろうとしている連中のほうはかなり邪悪なのではないかと思うぞ。これまで俺の出会った、本来の意味におけるミロク教徒というのは、お前が今夜食べ物をわけてもらってきた連中のように、みな親切で人情深く、善良で戦うことなどまったく知らぬ、働き者の農夫たちだった。――ヤガに入るにつれて、それはヨナもかなりいぶかしんだり、もうこれは自分の知っているミロク教団ではない、と悩んだりしていたようだ。明らかに、いまのミロク教団は何かまったくこれまで未知の勢力によってじわじわと乗っ取られつつある。だがおそらく、これまでの古いミロク教団はそのような事態に対しても戦ったり防衛したりすることを知らぬがゆえに、それでいつのまにかおのれの聖都の中核に入り込まれてしまい、ミロク大神殿のような異様な建物までも建てられてしまっても、おかしいと思いつつ、その《新しきミロク》の勢力の中枢部に押しきられている、というようなことなのだろう」

「その、《新しきミロク》というのはいったい、なにものなのでしょうか？　そやつらが、かなりさまざまな邪悪な魔道を使っているように私には思えますが……」

「俺にもこれ以上詳しいことは云えぬし、わからん。だが、ひとつだけ確かなのは、この新しい勢力がもし完全にヤガを制圧し、ヤガが《新しきミロク》の制御する国家なり、団体として成立してしまうとしたら、それは中原にとってはかなりおそるべき脅威になるだろう、ということだ」

「はあ……」

「ミロク教徒は、俺の思ったよりもずっといま、中原のあちこちにはびこっている。――

—むろんその大半は《新しきミロク》ではなく、古い昔ながらの平和なミロク教徒にすぎぬ。だが、その人数は相当に、馬鹿に出来ぬものになりつつあるようだ。それがいざ、《新しきミロク》にいっせいに乗っ取られてしまったとしたら——」

スカールはちょっとたくましい身をふるわせた。

「中原には、これまで思ってもみなかったような危機がやってくることになるぞ。——これまで、ミロク教徒を、クムなり、あちこちの国家がかるく弾圧したり、追い払って自由国境で自由都市とまではゆかぬ、小さな村落を作ってそこで暮らさせるようにしたり、場合によってはおどしてはるかもっと遠くまで追い払うように仕向けてきたのは、ミロク教徒の信じている教義というのが、どうしても中原で一般的とされている感覚や教義と一致しなかったからだ。——戦うな、奪い合うな、与えあえ、愛しあえ、許しあえ——中原だけではない。草原の民にはもっと、まったく理解不可能なそれは教義だった。草原の民にはましてや、それはいったい何の夢物語なのか、何の寝言なのかとんとわからなかったが、そういう変わった連中がヤガに集結して、そしておとなしくなにやらそれなりの生活をいとなんでいる、というのはべつだんそれほど気にかかることでもなかった。——それに我々は——我々全員がというわけではない、我々のうちの一部の騎馬の民は、そのヤガへの巡礼団をかっこうの獲物としか見ないで、襲っては惨殺したり、荷物を掠奪したり、おのれの部の民の奴隷にしてしまったりしていたものだ。ヨナがパロからヤガにやってくるについて参加していた巡礼団も、俺の部族とも敵対的な荒くれた騎馬の民の群れに襲われて全滅してしまった。ヨナもそれで殺されかけているところを、偶然に俺が救った、というわけだ」

「そのようなわけだったのですか……」

「ヨナも沿海州出身、ましてヴァラキアの出身だそうだが、お前もヴァラキア人、面識はないのか」

「それはまったくございません。いや、カメロン宰相のお供としてパロ政府とやりとりするようなときに、遠くから見かけたことがないわけではないかもしれませんが、身分もあちらのほうがずっと上ですし、それにヨナ・ハンゼ博士、もとパロ参謀長、というかたがいて、それがヴァラキア出身である、というくらいはうわさに聞いておりましたが、わたくしも船乗りでずっと旅に出ておりましたし——私が陸に戻ってきたときにはおそらくもう、ヨナ博士はパロに学問修業にいってしまっていたのでしょうし、それやこれやでかけちがって、同じヴァラキア人と申しても、何のえにしもあるわけではございません」

「そうか。まあ、それに、お前はカメロンについてモンゴールにいってしまったのだな」

しばらく、スカールは何かをじっと考えていた。

ブランは黙って、じっと腕に抱きかかえたスーティの寝顔を見つめながらスカールが口を開くのを待っていた。何か、次にスカールが口にすることは、きわめて重大なことだ、とブランには察せられたのだ。

「お前は、カメロンの命令によってフロリーとスーティ親子を取り戻しにきた、だがカメロンの命令しか聞いてはおらず、次に自分が忠義を捧げるのはケイロニア王グインである、と最前云った」

ゆっくりと、やがて、スカールは口を開いた。

「ということは、かりそめにもゴーラ軍に軍籍を置きながら、お前はゴーラ王イシュトヴァーンには忠誠を誓っておらぬ、ということだ。そう思ってよいのだな」

「むろん、カメロン宰相はイシュトヴァーン王に忠実でおられます」

その問いは充分に予期していたので、ブランはよどみなく答えた。

「そして私はカメロン宰相に忠誠なものでございます。ですから、カメロン宰相が、イシュトヴァーン陛下の御命令に従え、と命じられれば、私はそれに従いましょうし、それとは別個にカメロン宰相が御命令を下されれば、私はそれに従います。——ドライドン騎士団はカメロン宰相がヴァラキアから連れてこられた——そののち傭兵を募集して、そうでないものもずいぶん増えておりますけれども——カメロン宰相個人の率いる軍隊です。いわば私設軍隊です。——その意味では私どもは、ゴーラ軍のなかではかなり特殊な位置におり、いま云われたように、『ゴーラ軍に軍籍を置いている』とは、われわれは考えておりませぬ。――もっとも、私の前に副団長をつとめておりました、マルコと申す騎士はイシュトヴァーン陛下に気にいられ、引き抜かれるようなかたちでイシュトヴァーン陛下の側近となって、ただいまはずっと、ほとんどイシュトヴァーン陛下の参謀をつとめております。陛下からもいろいろと栄誉や報酬を頂戴してしまっておりますし、マルコのような立場になってしまうと、おそらく、万一カメロン宰相とイシュトヴァーン陛下とのそれぞれに出される御命令が齟齬があったような場合には非常に難儀するでしょう。その結論としてどちらに所属することを最終的に選ぶかは、マルコの問題で私にはわかりませぬが。――しかし私についていえば、私はあくまでカメロン宰相の騎士であり、グイン陛下への忠誠はまあ個人的なもので、カメロン宰相とグイン陛下とがなんらかの事情で戦うようにでもならぬかぎりは、さしさわりはあるまいと信じておりますが――イシュトヴァーン陛下について申せば、わたくしはイシュトヴァーン陛下の御命令をうけて動く、という義務は自分にはないと思っております。ドライドン騎士団はあくまでも、勝手にカメロンどのについてヴァラキアからやってきた傭兵でございますからね」

「なるほど。そのような立場なのか」

ふっと息を吐いて、スカールは云った。

「では、お前は、カメロンからフロリーとスーティを取り戻せとは命じられているが、それは、必ずしもイシュトヴァーンのもとへ連れ戻る、という意味ではない、ということなのだな。そう思ってもよいか」

「はい」

はっきりとブランはうなづいた。

「ことにカメロン宰相は、いまのところの情勢の変化が安定するまでは、イシュトヴァーン陛下に、一気におのれに忘れていた妻子があること——ことに年齢的には長男にあたるスーティ王子がおられることを、あまりはっきりと中原全体にも知られたくないし、イシュトヴァーン陛下自身にも、もうちょっと落ち着いてからでなくては、会わせたくない、というお気持を持っておられます。——私は何回かこの任務をおおせつかりましたが、そのたびに『もしゴーラに連れ戻ったにせよ、まず宰相のもとへ。そして、あらかじめ陛下に王子を連れ帰ったことを知らせぬようにせよ』という御命令をも受けました。——ひとつには、カメロンさまは、ドリアン王子の身のふりかたを案じておられるのだと思います」

「ドリアン王子」

「ゴーラ王妃にしてモンゴール大公であられた、アムネリスさまとのあいだにイシュトヴァーン陛下がなされたお子様です。年齢的には、スーティ王子よりも、一歳近く年下になられます。——アムネリス陛下はご存じのとおりこのお子を産み落として産褥の床で自害なさいましたが、その後イシュトヴァーン陛下はこの王子にあまり心をかけておられず——といって、一応面倒はよく見させてやってはおいでになりますが……カメロン宰相がほとんど、ドリアン王子の育ての親のような立場になっておられます。それゆえ、カメロンさまは、もし万一、スーティ王子がゴーラに戻り、イシュタールでお父上との面会を果たして——お父上がスーティ王子のほうをはるかにお気に召してしまった場合、ドリアン王子の立場はどうなるのか、というようなことを、かなり心痛しておられるのだと思います」

「——その気持は、俺にはよくわかる」

つぶやくように、スカールは云った。

「事情はむろんまるで異なっておるが、俺もまた——兄にもはや誰も期待しておらなかった男の子が生まれたのをしおに、お家騒動を避けるべく、草原のアルゴスを出たのだからな。——まして、この子はこのようにみめもうるわしく、賢く強い。誰にでも、好きにならせずにはいないような子だ。——そのドリアンという、気の毒な呪われた名前と出生をもった王子が、どのような子になるのか、まだ誰もわかるまいが、しかし、いずれにせよ、これだけ強く賢い、自分のはっきりした兄を持ったら——その子はさぞかし苦労することだろうよ。俺は、カメロンどのの考えられることもよくわかる気がする」

4

「さようで……ございますね……」

　複雑な思いをこめて、ブランはつぶやいた。

「私は……カメロンおやじとは逆に、最初にこの坊やにお会いしました。――わずか二歳で、もう、お母様を守ろうとして、私に斬りかかってこようとするようなお子です。お母様と引き離されたのもこれがはじめてではなく、クムの、タイスでの冒険でも、かなり長いこと――それがおそらく生まれてはじめてだったでしょうが、お母様と別々に身をひそめていなくてはならなかった。そのときも、一回として、泣きもせず、だだもこねず、ただきっと唇をひき結んで耐えていた、そういうお子です。――それを見ているだけで、私もグイン陛下もみな、この子のためにどんなことでもしてやろうと思わずにはおられませんでした。……むろん、いたいけなドリアン王子をいたましいと思うカメロンおやじの気持もよくわかります。生まれ落ちたときが母親を失ったときで――その母には、胎内にあるときからうとまれ、ドールの子、などという名前をこともあろうに母その人につけられ――父親からはかえりみられもしない、そんなふびんな生まれの子を、カメロンさまが心をいためていつくしむのもよくわかります。――スーティ坊やはそれに比べたら、生まれてわずか二、三年のうちにどんなに波瀾万丈な人生になってしまったとはいいながら、あれだけ優しく強いお母上の愛情に包まれてそこまで育つことが出来た、というのは、かなり決定的だと思います。――グイン陛下に対しても、私に対しても――この子の見せた勇気と人なつこさとまっすぐさは、ひとを打たずにはおかぬものでした。……おそらく、このまま母上と会えないようになられたとしても、結局このお子は強く、すこやかに生きてゆかれるだろうと思います。――というか、そうしてあげるために何でもしてあげずにはおられぬ気持になります。この子こそ、まさに、ある意味、生まれながらの帝王ではないかと――そうまで思うほどにも」

「それもまた、俺にはわからんでもない」

ゆっくりとスカールはうなづいた。

「だから、こうして――お前に腹をうち割った率直な話をもちかけているのだ。俺はさきほどお前のおらぬあいだに、この坊主に、『本当はどうしたいのだ』とたずねてみた。この子ならきっともうおのれの考えがあるだろうと思ってな。母を待つあいだ、本当の父のもとにいっていたいか、それともどこにいっていたいか、とたずねたところ、スーティははっきりと、『本当の父様についてはよく知らないので、グインおじちゃんのところにいたい』と答えた」

「おお」

ブランは云った。そして、思わず、そっと、ぐっすり眠り込んでいるスーティのなめらかな頰におのれの頰をよせたが、無精髭でざらざらしている頰の感触で起こしてはと、あえて頰をすりよせはしなかった。

「んん……」

だが、そのブランの動きは、眠っているスーティにも伝わったらしい。

スーティは、何の邪気もない、あどけないしぐさで手をのばし、からだの向きをかえて、ブランの胸に顔をおしつけるようにした。眠りのなかで、その唇から、小さな——起きているあいだにはあれほど必死でこらえていた声が漏れた。

「母様……母様、どこ?……母様……」

「……」

それをきくと、思わずブランの目には涙が浮かんできたが、ブランはそれをふりはらった。

「グイン陛下のところに、この王子をお連れになるおつもりでございますか?」

「俺は、まだ、考えている」

スカールは首をふった。

「最近のケイロニア、ことにサイロンについては、いろいろとうわさもきく——恐しい疾病が流行っている、というような話もちらりと、街道筋で小耳にはさんだが、それがいったいどのような理由なのか、どういう疾病なのか、その後はヤガの圏内に入ってしまってから、とんと情報がない。お前はそれについては何も知らぬのか、ブラン」

「多少のことは聞いております。——グイン陛下がパロより帰国されてのち、ケイロニア国民は、ようよう取り戻された平和を楽しんでおりましたが、それもつかのま、まずアキレウス大帝が隠居を申し出、この新年にあたってグイン陛下が『ケイロニア王』の称号のもとに正式にケイロニアの最高支配者となられた、という、ここまでは正式の情報として聞きました。——しかしそののち、ケイロニア、というよりも首都サイロンのみに、何かあやしい疾病が激烈な勢いで流行しはじめ、それでただちにアキレウス陛下とそのご一家や、グイン陛下の王妃、また高齢の貴族や武将たちなどはいそぎサイロンを出て、疾病の流行から逃れようとつとめている——が、グイン陛下はサイロンに残り、疾病の鎮静につとめておられる、という——そういう話が伝わってはまいりましたが、それも正式の公表によるものではございませんので——それこそ街道筋のうわさ話や、宿場町での情報通に金を払って聞いた話、というようなものでございますから」

「なるほどな。だが、サイロンが疾病に襲われている、というのはとりあえず本当のことだというわけか」

「はい、それでいっときは、サイロンはすべての旅客、商人の出入りがさしとめられ、またサイロンから出てゆくことも禁じられた、という話も聞いたように思います。しかしその禁足令はもう解かれているのではないかと思います――つい先日、このヤガで、私があちこちフロリーどのの行方を捜しているときに、サイロン方面からやってきた、という巡礼団と出会ったこともございますから」

「なるほど……」

「しかし、疾病がどのような状態になっているのか、完全に把握するまでは、このような幼い子を、いかに年齢のわりに頑健だといっても、疾病で出入り禁止されていたような都市に近づけるのは、いささか考えものだと思いますが」

「それは、俺もそう思う。――また、グインにこの子を渡す、ということは、はっきりと――ゴーラ王イシュトヴァーンに、『わが子を手元に返してほしい』という要求をグインに突きつける口実を与えることだ。もしも、グインがそれに応じてスーティをゴーラに戻すならば、この子の意志は踏みにじられることになる。だが、逆に、グインがこの子の気持ちを尊重して、この子をゴーラに帰すことを拒むとしたら……ゴーラとケイロニアとのあいだには、相当な波風がたつことになる」

「そしてまた……カメロン宰相も、その波風に巻き込まれ、ドリアン王子がらみのいきさつもあって、かなり葛藤することだろうと思います」

ブランはつぶやいた。

「カメロンおやじも、おそらくこの坊やを見たら、気に入らずにはおられぬだろうと思うのですが……しかし、むしろそれで気に入ってしまったら、かえって、それまで可愛がっていたドリアン王子に対して誠実であろうとするでしょうし……そういう人ですから。おそらくカメロンはそれで非常に葛藤するだろうと思います。どうするのがもっともよいことか、考えあぐねて——それで、イシュトヴァーン王がもし万一にも、スーティ王子を非常に気に入ったとしても、逆にドリアン王子と同じように視野にも入らないとしても、いずれにせよ——子供たち自身は何もわからぬとしても、それを悪く利用してやろうとするものたちは必ずどういうところでも出てきてしまうものですから……あえていうなら、こうして二人の、腹違いで一歳違い、しかもそれぞれに事情がある、などという王子を育てることは、お家騒動のもとを作っているようなものではないかと思いますが……」

「俺は、この子をイシュトヴァーンのもとにはやりたくない気がする」

スカールは眉をよせた。

「イシュトヴァーンには、おそらく——たとえこの子のことをこの上なく気に入ったとしてさえ、この子をちゃんとした大人として、筋の通った誠実で勇敢な一人前の男として育てあげるだけの度量や知恵や誠実さがあるとは思われぬ。それは俺がイシュトヴァーンをおのれの宿敵としているからだけではない。これまでのイシュトヴァーンのもろもろのやり方――モンゴールを手中にし、アムネリス大公を自死させたり、またモンゴールを裏切ったやり方や、ゴーラ王となるまでのいきさつなどを見ていて、そう思わずにはおられぬのだ。――俺はかつて、イシュトヴァーンのためにおのが妻を殺され、それによってイシュトヴァーンを宿敵、妻の仇としてずっとつけねらい、何回か殺すか殺されるかの果たし合いにも及んだ。だが運命のいたずらか、まだそれは決着をつけるにはいたっておらぬ。――だが、これまでのイシュトヴァーンを見てきて、俺は、彼は信ずるに足る男だとはどうしても思えぬし、どうしてカメロンのような、俺が信ずるに足ると信じた男がイシュトヴァーンのような男にそれほどに入れ込み、ふるさとを捨て、お前たちのような立派な部下たちをもともに連れてゴーラに身を投じたのか、ずっと不思議に思ってきた。……信じたくはないが、つまらぬ風説――カメロン宰相はルブリウスの徒であり、その色恋沙汰から、イシュトヴァーンのために国も身分も、またおのれの体面も投げ捨ててしまったのだ、といううわさが本当だったのだろうか、と思わぬこともない。だが、もし色恋のためにそうしたのだとしたら、それはまあ、俺の知ったことではない――気には入らぬが、ひとの色恋沙汰がどうあれ、それが禁断の男色であろうが、不倫の恋愛であろうが、俺にはかかわりのないことだからな。俺はただ、俺としての生き方に筋を通せさえすれば文句はない」

「……」

　スカールのことばに、ブランは思わず、痛いところをつかれたようにうつむいてしまった。

　その様子を、下から、スカールは囲炉裏の火にそっと少しづつそだをくべながら見守っていた。

「お前自身も、カメロンについては、そのような不審をもったことはなくはない、というわけだな？」

　ずばりと云われて、ブランはちょっとおののくように身を縮めた。

「イシュタールにいるときに――おやじさんが、イシュトヴァーン陛下とその……そのようなその……あの、そういうあやしげな素振りを見せたりしたことはございませんし、遠征などに出ているときでも、一回として、俺たちはおやじさんがそういう私情で俺たちを動かしたのだと思ったこともありません。ただ――どうしても、納得がゆかないのは、確かにイシュトヴァーン陛下というのは魅力もあり、力もあり、またおそらくこのようなゴーラ王になるという驚くべき運命にもふさわしいだけの選ばれた何かをそなえた人物でもあるのだろうとは思うのですが、それにしても――やはり俺たちから見ると、カメロンのおやじが――俺たちにとってはヴァラキア公よりも、ゴーラの国王よりもはるかに信頼している、重大な存在である――それゆえにこそふるさとをも捨て、家族をも捨ててきた、それだけの価値があると思っていたカメロンおやじが、いったいなぜ、イシュトヴァーン陛下に対してだけ、その分別を失ってしまうのだろう、ということです。――それ以外の点では、カメロンおやじのすることなすことに、疑問を持ったことはありません。ドリアン王子をいつくしむのも、スーティ王子をイシュトヴァーン陛下に知らせぬままひそかにおのれの手元に取り戻しておこうとするのも――いろいろと大変なことはあれ、またどうしてもおのれ自身の作った国家という忠誠心は持ち得ないであろうにせよ、とりあえずゴーラという、預かった国家をなんとかしてさまにしよう、かたちにしよう、かつて旧ユラニアであったこの国がちゃんと近代国家として機能するように、そこに暮らす人々が、幸せでゆたかな日々を送れるように――それをおのれの使命としてあえて両肩に引き受けているおやじさんの姿は、はたから見ていても涙ぐましいものがあります。もともとが、ゴーラの宰相になることなど、何の興味も関心もなかった――地位だの身分だの、そんなものによっては決して動かされぬ人なのですから。おやじさんが愛しているのは自由と、大海原と――そしておのれにとって真実と思えることのみだと思います。そのおやじさんが、どれだけ苦労して、内陸の古めかしいしきたりやしがらみばかりの国を守り、作り直し、機能するようにしようとしているか……それを思うと、俺たちはみな――ヴァラキアからはるばると付き従ってきたドライドン騎士団のものたちはみな、心をいためています。――でも、それが、イシュトヴァーン陛下へのそのようなよこしまな気持のゆえだとは、俺は決して信じませんし、それに——」

「それに、何だ」

「イシュトヴァーン陛下は、かつて、おやじさんとアムネリス大公との間柄を疑っておられた。そのことは我々も知っていました。あの陛下は、おのれの感じたことや考えることを、隠しておけるような人ではないですから。——そして、イシュトヴァーン陛下が、ドリアン王子はもしかして、自分の子ではなく、自分が遠征に出ているあいだにおやじさんとアムネリス大公のあいだに何かあって——などというまわしい疑いをかけていたことは。それだけでも、われわれは、イシュトヴァーン陛下を許しがたいと思っていたものです。しかし結局、その疑いだけはとけたようですが……」

「そんなことがあったのか」

驚いたように、スカールは云った。

「カメロンという人間が、そんなことをするものかどうか——おのれのかりそめにも主君として仕え、剣を捧げている相手の妻を寝取るような、そんなことをする人間かどうかさえ、イシュトヴァーンにはわからぬのか。あやつには、それだけの道理もわかっておらんのか」

「さあ——それは、あのフロリーどのは、アムネリス大公のもっともお気に入りだった侍女だときいております。その、おのれの妻の気に入りの侍女に手をつけて、子供を産ませてしまうような男ですから……それは、イシュトヴァーン陛下には、カメロンおやじの忠誠は理解出来ぬのかもしれませんが……」

「下らん。——どうして、そんなあるじにいつまでも唯々諾々と従って、むなしく時を浪費しているのだ」

苛立ったように、スカールは云った。

「わかった。そのような裏の事情があるのであれば、俺とても考えがある。この子は、カメロンには渡さぬ。——といって、グインに渡して、ケイロニアとゴーラとの大戦の火種をまくにもしのびない。この子は、俺が連れてゆき——草原の民として育ててやる。それならばどうだ。——お前は、カメロンからこの子をフロリーともども連れ戻るようにと命じられているのだな。その命令のために、俺と戦うか。ならば、それはそれで俺も、お前の望むように一対一であれなんであれ、戦って勝ったほうが思ったとおりにするのにやぶさかではないし——ただ、俺は、俺がそうしてこの子のうしろだてにたつならば、それが、グインをもカメロンをも苦しめぬ、一番いい方法ではないか、と思うのだが」

「確かに……多少、そんな気がしてこないわけではありませんが……」

閉口したように、ブランはつぶやいた。

「私自身も、この前、パロで——グイン陛下が、イシュトヴァーンにはこの子とその母を渡さぬ、というかたいお気持でおられたことがわかっておりましたので、あえて……そこでグイン陛下にあらがうかわりに、とりあえずカメロンおやじに報告する、という——いささかまあ、姑息な方法を選んで、パロ国境をこえる前にイシュタールに戻ることを選んだのです。もう一回、同じことをするにやぶさかではありませんが——しかし、このあいだはなかったが、今回はある最大の問題というのは、この子の母上があのようなことになってしまった、という……」

「——ああ」

「母上さえ御一緒なら、王子はどこにおられても何も心配されぬであろうし、すこやかに、愛情に包まれて育ってゆかれると思います。——むろん、スカール殿下が、この王子を育てるのに、向いておられない、などという失礼を申し上げているわけではございませんが、しかし、とにもかくにも、フロリーどのを救出することなくては……もし、まだその——その希望があるとすれば、ですが……」

「わかっている。俺もそれは同じだ。俺は、ヨナを救出せねばならん。ヨナとは、必ずクリスタルに戻るまで守ってやると約束した。俺はその約束を守らねばならん。だがそのためには——この子を連れていてはとうてい、ヤガには戻れぬ」

「ということならば——私が、王子をお預かりして——いや、それはブランも騎士です。

しかもドライドン騎士団の副団長をつとめる男です。ひとたびお約束すれば、決して、それにそむいて王子をゴーラに連れ戻ったり、カメロンおやじのもとに連れていったりするような裏切りはいたしませんが」

「ウム……そうだな……」

「ただ、問題は……私が王子をお預かりして、それで——どこにどうしていればいいか、ということでしょうか。——私が連れてきている私の部下五十名は、なかには新入りの傭兵もおりますし——それらにまで、私の複雑な気持ちや事情を理解させたり、そこにいたるいきさつをあまり詳しく説明したり、カメロンの命令に背くよう命じることはとても……」

「それはそうだろう。だが、いったんこの子が安全なようにとはからってやっているあいだに、フロリーにせよ、ヨナにせよ、どんなことになってゆくか——あるいはそれまで、無事でいるかどうか……いまでさえわからぬのだしな……」

これは、かなり難しい事態のように思われた。

ブランは二階から、スーティを起こさぬように気を付けながらなるべく身をのりだして、スカールのほうを見下ろし、スカールはまた、ブランの気持を探るように、そちらを見上げながら、またそだを囲炉裏の火にくべた。もう、かなり、夜も深くなっている。

「かつては、俺は、トルースの王とは代々親交をかさね、互いに深く信頼しあっていたものだった」

考えこみながら、スカールは云った。

「その、トルースの王との親交がいまなお生きているのであれば、俺は、この子をお前をつけてトルースに預ければ、場所もヤガからもっとも近い草原の国でもあり、その後に俺がおのれの部の民の生き残りを集めて、フロリーとヨナを救出に戻る方策をあてることもやぶさかではない、と思う。ただ問題は、トルースの王が、もう俺も十年の上から会っていなくて、先日トルフィヤを通り過ぎたときにもしかるべき挨拶もせぬままにただ通過してしまった。それに、いまの俺はアルゴスの王太子でもなんでもない。トルースの王とのあいだの親交は、あくまでもアルゴスの王太子として、国と国との国交を前提として結ばれていたものだったのだ。——そう考えると、いまのただの一介の風来坊となりはてた俺を、トルースがどこまで親身になって受け入れてくれるかどうかはわからぬ——」

「……」

「それに、俺の部の民も、たびかさなる試練のためにずいぶんと減ってしまったものだが、もしかして、タミルたちが全滅した、というあの話が本当だったら、俺はもう、部の民をすべて失ったかもしれぬ。——ここに連れてきたのはよりぬきのさいごの精鋭たちと、それからこのたびヤガにむかうときにオアシスでいまだに俺の名前を覚えていてくれるものたちが捧げてくれた若者たちだった。かつてのような、俺の部の民が何百人もいるような威勢のいい状況はもうありえないし、もう決してそうなることはないだろう。――まだ、草原に残してきたものたちはいて、俺を待っていてくれるものもわずかにいるかもしれぬが、それももう――かつて最大の部族として繁栄を誇ったグル族を、ほとんど壊滅にまで追い込んだのはつまるところ俺だ。――そのグル族の生き残りをかきあつめてまで、なおも、俺に仕えろ、俺のために戦え、とは、俺にはもうよう云えぬ。――タミルは、グル・シンが死ぬ前、さいごのおのれの後継者としておおいに期待をかけていた若者だった。俺に何回もついてきて、そのたびに運よく生き延びたのだが、はかり知れぬほどの労苦をなめている。ほかのものたちは多く、俺の遠征の途上でいのちをおとすはめになった。――そのタミルが、俺があずけたものたちもろともいのちを落としたとすると、俺はもう……本当に文字通りの徒手空拳、たったひとりの草原の風来坊にすぎぬ。アルゴスの王太子でもない。かつて黒太子、と呼んでくれたものたちも――草原の鷹、とたたえてくれたものたちももういない。俺はただひとり――単身、ただひとりの騎馬の民スカールとしてここにいる、ただそれだけなのだ」

「太子さま……」

「そのことは後悔などせぬ。おのれの生きてきた生きざまに後悔などするくらいなら、男ではない。そのときどき、そのつどそのつど、俺は、これが正しいと思って、信じてそのようにしてきた。その結果として俺がここにこうしてただひとり立つなら、俺はそれを信じるしかない。——ただ、問題は、トルースの王にとっても、たぶんましてやカウロスだの……もっとも大きなことはアルゴスにとっても、俺が、スーティを連れて草原にいて、そしてその国を訪れて庇護や援助をこう、というのは、とてつもなく大きな災厄をもたらしにきた、としか思われぬだろう、ということだ。——スーティ、というこの存在そのものが、すでに、ゴーラの侵攻を招きよせるぞ、と語っているようなものだ。——イシュトヴァーンがこの子の存在を知り、そしてそれを取り戻すべくゴーラ軍をひきいて押し寄せてきたとしたら——すなわち俺とこの子の存在がその、俺をかくまってくれようという国に迷惑をかけることになるし、だからこそ——フロリーもそう考えたからこそ、この子をつれてパロを出てヤガに向かったのだろうと思う。その判断は正しいし、その意味では賢い女だとも思う。だが——」

「それほど、悩むのならば……」

ふいに、誰もいなかったはずの空間に声がしたので、スカールとブランは飛び上がりそうになった。

「それほどにお悩みならば、このさい、わしが、引き受けてやろうか？　太子——」

「な……なんだと……」

スカールはさっと剣を引き寄せた。

このような出かたをする以上、相手が魔道師であることはもう、スカールにはいやというほどわかっていたし、だが、それが『どちらの魔道師であるか』ということが、スカールにとっては、またきわめて重大な問題だったのだ。スカールは、さっと剣をつかんだまま、二階にひらりと飛び上がり、スーティの寝ている前に庇うようにして中腰になっているブランの前に、これも片膝をついて中空をにらみすえた。

「出てこい。俺たちの話をずっと盗み聞きしていたな。姿をあらわすやつはどちらだ。イェライシャか。それともグラチウスか。そのどちらであるかによってはただはおかぬぞ」

「これは、物騒な」

フォフォフォフォフォフォフォフォ、というあやしい笑いが、すでに、それがどちらであるかを物語っていた。スカールはぎりぎりと歯を食いしばった。

第四話　運命の子

1

「きさま、いつからそこにおった。——そして、いつから、われらの話を盗み聞いておったのだ。グラチウス」

けわしく、スカールは云った。

ゆらゆらとあらわれてきた人影は、もうすっかり、白い長い道衣のようなものを身にまとい、腰で麻縄でくくり、そこにだらだらといろいろなものをひっかけてつるして、頭は前半分がすっかり禿げている、油断のならぬ——それでいてどこかひょうきんな感じもはらんだ、限りなく年を経ているのではないかと思わせる老人のすがたにかわっていた。足元に、小さなキツネのような白いものがうずくまっている。キツネにしては、胴が妙に長くて、ヘビとキツネのあいのこ、といったところだ。目がきらりと赤い。

「盗み聞くもへちまもない。この世のすべての出来事は、わしから隠そうなどと思うたところでムダなことよ。太子、久しいな」

グラチウスは落ち着き払ったようすで云った。ヒョイとその手に、使い込んだ茶色の瓢箪のようなものがあらわれた。

「おぬしの大好きな草原の酒、クミスを持ってきてやったよ、みやげにな。どうじゃな、一献くみかわさんかね。——それから、そちらのあんちゃん、きょとんとしておるが、わしは、黒魔道師のグラチウスというもので、ここな黒太子スカールどのとは、なかなかに深い容易ならぬえにしのあるものだよ。大導師などとひとはいう——もっとも、いま、ヤガで超越大師などと名乗っている不愉快な人物とは、まったく別人だから、安心したがいい」

「太子さま——これは……」

ブランはとまどったように、スカールと、グラチウスと、そして、あたり全体を見回した。

なんとなく、グラチウスが姿をあらわしてからというもの、このせまい汚い納屋全体が、妙に明るく何かに照らし出されているように感じられてならなかった。なんとなく何かが変わっていた——それほど大柄なわけでもなかったし、ひどく威圧的な態度をとるわけでもなかったが、そこで愉快そうに囲炉裏端に腰を下ろしている老人は、ただものではない、ということは、そういう魔道だの魔道師だの、ということにはあまり縁のないブランにもはっきりとわかった。同時にまた、これは、おそらく敵にまわしたら相当に大変な人物であるのだろう、ということもだ。

「こやつのことは以前にお前には話さなかったかな。お前にはまだ話すいとまがなかった。ヨナには話したのだが——こやつのおかげで、俺はとんだ目にあい、ゾンビーの親戚のようなものに作り替えられてしまったのだ」

スカールが苦々しげに云った。グラチウスは「フォフォフォフォフォフォ」と甲高い声をたてて笑った。

「さりとはまたひどいことをいう。わしは、おぬしを助けてやろうとしただけじゃないかね。——あのとき、おぬしは、ノスフェラスの放射能のために死にかけていた。あの無能なくせに《北の賢者》を僭称しておるロカンドラスが、おぬしをあのおそるべき放射能から守ることさえ出来なんだおかげで、おぬしは放射能にむしばまれ、あわやというところだったのだ。髪の毛は抜け、吐き気にみまわれ、日に日にやせ衰えてゆき、起きあがることもままならず——かつてのあの草原の英雄ともあろうものが、あわれな姿になって、あとは死んでゆくのを待つばかりだった。それを、助けてやったのは、誰だと思う。誰あろう、ドールの大導師グラチウスじゃあないかね。——たとえそれが黒魔道でもかまわぬ、おのれにはせねばならぬことがあるゆえ、是非寿命をくれ、と膝をついて哀願したのは、太子、おぬしであったはずだよ。だから、わしは、おぬしにあらたな寿命を与えたのだ。放射能の毒をからだから抜いてやり、病魔にむしばまれていたおぬしをまたふたたび、健康な、草原の鷹に戻してやったのじゃなかったかね……」

「黙れ、グラチウス」

かっとしたように、スカールは云った。

「確かにお前の手当のおかげで、いっときは俺は生き延びたように見えた。ほかのものたち、俺の部の民もそれを信じてお前の恩義を信じた。だが、《ドールに追われる男》イェライシャに出会ったとき、イェライシャが俺の蒙を啓いてくれた――お前がねらっていたのは、ただ単に俺の持っているノスフェラスの秘密、それをおのれのものにすることにほかならなかったのだ。そのために、お前は俺をおのれの支配下に置こうとした。そうして、お前は、放射能の毒こそ抜いてくれたもののそのかわりに、黒魔道の毒を少しづつ少しづつ、俺のからだに注入し、放射能と入れ替え、俺がお前の持つ黒い阿片の毒薬なしでは生きてゆかれぬようなからだに作り替えてしまったのだ。あまつさえ、きさまは、俺がすでに本当は命運つきて、生きていることは不可能なのだ、ということを隠していた。本当は俺はもう放射能のために死んでいるはずの身だった――それを、お前は、黒い魔道のおぞましい力によって、ゾンビーとして俺を生かしておこうとたくらんだのだ。それに相違あるまいが！」

「ゾンビーだろうが、幽鬼だろうが、生きてるほうがいいじゃないかね。それは決まり切ったことだろうが」

グラチウスはとぼけた声で返事をした。足元で、あやしい白い、毛皮がないのでいっそうヘビのように見える妙な生物が、真っ赤な目をちかちかとまたたかせた。

「おぬしだって、あのとき、死にとうない、と思うたからこそ、わしの力をかりることに同意したのじゃろ。それが、いざ、生きてゆける、ということになると、こんどはやれ、生きた心地がしないだの、ゾンビーのようだの、血が冷たいだの、ああだの、こうだのと不平不満をいう。――まっこと、人間というものは、不平の多いものだよ。いくら、いろいろなことをしてやっても、満足するということを知らぬのだからな」

「云うな、グラチウス」

手きびしく、スカールは決めつけた。

「俺はもうお前のその詭弁には騙されぬぞ。きさまはそうやって、論理をすりかえ、いつのまにか俺をお前の支配下にあって、お前の与える毒薬がなくては生きてゆけぬような妙な生物に作り替えてしまったのだ。――幸いにしてイェライシャがその毒を六分通り抜いてくれた。だが、まだそれはすべて抜けているわけではない。まだ俺はその黒魔道の苦しい後遺症に悩まされている。――それ以来、俺は、二度と黒魔道と黒魔道師を信頼してはならぬ、という、かたい教訓だけは決して忘れぬようになったのだ」

ブランにとっては、このやりとりは非常に物珍しいものであったから、彼は目を丸くしながら、この話を聞いていた。

だが、云われてみると心当たりのないわけでもなかった——スカールの態度物腰や、そのようすのなかには、九分九厘健康そのものな人間の熱い血が流れている、というようすがなぜか感じられないこと。スカールの本来の熱血の気性とうらはらに、どこか、スカールの肌や血が冷たく感じられること、などは、これまでのごく短いあいだの逃行でも、すでにブランにも感じとられていたのだ。もっとも、ブランは、それを、おのれの気のせいか考えすぎであろう——スカールの手が死人のように冷たいのが、何か、病気以外の原因があるだろうなどとは、考えたこともなかったのだが。

「ヒョヒョヒョヒョヒョヒョ」

老人はまた、他のものではとうていたてられぬような怪態な笑い声をたてた。白い長い胴と赤い目と、長い髪の毛をもつ奇妙な生物が、老人の足元から、白ヘビのようにくねりあがって、老人の腕にまきつく。グラチウスはそれにまきつくままにさせておきながら、スカールにむかってもう一方の手をさしのべた。

「どうじゃね、太子。だが、いまとなっては、おぬしはまた、追いつめられて困っているのだろう。——わしの助力が必要なのじゃないかね。そう思ったから、こうしてわざわざ、このくそ忙しいのに出てきてやったのだよ——さよう、わしはこのところちょっとても忙しかったのだよ。えらく忙しかった、といってもいい。いろいろと、けしからぬ陰謀がたくまれていたものでな。だがそれもなんとか無事にはねつけることが出来た——わしの宿敵もとりあえずはしてやられて大人しくなり、それで、今度はこうしてヤガにまるで水底の水へビみたいに身をひそめている、というわけだ。そんなことはだがわしにはようくわかっているのだよ。ヒョヒョヒョヒョ」

「その宿敵というのはイェライシャのことか。イェライシャはヤガの周辺にいるのか」

スカールは手厳しく云った。

「どうしてどうして。なんで、あんな木っ端のごとき魔道師が、わしの宿敵に値するものか」

グラチウスは自尊心を傷つけられたようすで、即座に言い返した。その落ち窪んだ目が、底知れぬほどの年月をうつしてまたたいた。

「あんな木っ端めは、いまこのヤガに近寄ることさえ出来ぬさ。先だって、サイロンにもなかなか近寄ることが出来なんだようにな。あやつには、自分で云っているような大きな魔道などありはせぬ。だから、あやつは、いつも自分はたいそうな力を持っていると云いながら、わしにかかっては手もなくあしらわれて五百年もの年月をわしの虜囚になって送らなくてはならなかったのだ」

「お前の話はいつも興味深いことは確かだが、グラチウス」

そっけなくスカールは云った。

「俺にはいつもかかわりがない。それに、俺は、いま、ちといろいろ考えなくてはならぬこともある。その上に、もう俺は何があろうと決してお前と手を結んだり、お前の助力を受け入れることだけはせぬと決めている。だから、俺に何をいってたぶらかそうとしてもムダなことだ、グラチウス。とっととその、お前の巣穴の土中に帰るがよい。その白ヘビのようなみだらな化け物を連れてだな」

「これはしたり、太子、これはしたり」

グラチウスは憤慨したふりを装った。そして、手をのばしてこれみよがしに、真っ白なヘビの胴体を撫でてやった――むろんそれはユリウスであったのだが。ヘビは満足げにみだらに胴体をくねらせ、さっきよりだいぶん全体に長くなったように見えた――といっても、本当にヘビなのかどうかは、ブランにはちゃんとはわからなかった。赤い髪の毛がもしゃもしゃとのびて首から上をおおっていたので、よくは見えなかったのだが、どうもその顔面はまぎれもない人間のそれにも思えてならなかったからだ。ブランは、年古りた魔道師もさることながら、その魔道師にくねくねとからみついているその怪物も気になってたまらなかったが、スカールのほうは馴れているのか、その怪物にはいっこうに注意を払わないようなので、そちらは無視してもいいのだとブランも懸命に信じようとしていた。

「これまでわしがどれだけ親切にしてやったか、おぬしはもう忘れてしまったというのかね！――そもそも、おぬしがそうやっていまここに生きているというのが……」

「その話はもうよい。それを言い出したら、俺とても、きさまの陰謀の話もせねばならぬし、イェライシャへの恩義の話もせねばならぬ。もうよい加減に、それについては俺を騙すのは失敗したのだ、と認めたらどうなものだ、グラチウス」

「……………」

グラチウスはこんどはヒョヒョヒョヒョヒョともフォフォフォフォフォとも笑わなかった。かなり不平そうな、飴玉を取り上げられた子どものような顔をして、黙り込んだ。何か、この二人のあいだにはかなり入り組んだいきさつがあって、その結果この老魔道師がにがい目をみることになったらしい、というのはブランにも推測出来たが、そのいきさつだの、その結果だのというのは、とうてい想像もつかなかった。

「こんどは何をどうしようとたくらんで、こんなところにのっと出てきたのだ、グラチウス」

手きびしく、決めつけるようにスカールが云った。

「我々は明日もなんとかしてヤガ圏内を無事に抜け出すためにいろいろと苦労せねばならぬ。今夜、眠って体力を蓄えておかぬことには、我々は辛いのだ。それに、なんといっても子ども連れのことでもある」

「その、子どものことだよ」

ずるそうにグラチウスが目をまたたかせながら云った。

「大丈夫だよ。いまさっき入ってきたときと同時に、子どもがどんな大声をきいたり、どんなに動かしても決して目をさまさぬ呪文をそこな子どもの頭のなかに送り込んでおいたからの。じゃから、わしらは、なんでも遠慮なく話が出来るというものだ」

「何か、この子におかしなことをしかけたわけじゃないのだろうな。そうだとしたら、ただではおかぬぞ、グラチウス」

スカールがぴんと張ったどすのきいた声で怒鳴った。グラチウスはちょっとわざとらしく身をふるわせてみせた。

「おお、ぶるぶるぶる——怖やの、怖やの。まあ、それだけ元気になって結構なことじゃ。最初に会うたときにはあれほど弱りきって、もういますぐにもドールの世界の住人になってしまうかというほどのようすだったのだからの。——いやいやいや、これはただの簡単な呪文だよ。その子の身の上についての入り組んだ話をするのに、その子が目をさましたりすると面倒になるかと思っただけのことじゃ」

「というからには、お前は、この子の素性もろもろのいきさつも、何もかも知っている、というわけだな」

スカールは用心深く云う。グラチウスはばかにしたように笑った。

「いま、この世でちょっとでも名の出た魔道師で、ちょっとでも野望をもつ魔道師で、それを知らぬものがあろうか？　つねに中原に波乱を巻き起こす、ゴーラの僭王イシュトヴァーン――そのイシュトヴァーンが、まだモンゴールにあって、モンゴール大公アムネリスの恋人であった時代に、アムネリスの気に入りの侍女フロリーについ手をつけてでかした子ども、イシュトヴァーン二世、あるいはスーティ王子……いま一番、この世でそのなりゆきが注目されている子どもといったらまず第一番にこのスーティ王子、第二番にまあこれはどうということはないがアムネリスが生み捨てた不幸なドリアン王子、そうして、これはおぬしなどは知るまいが、いずれあと一年もすれば生まれるだろうケイロニアの世継――」

「何だと」

思わずスカールとブランは身を乗り出した。

「ケイロニアの世継？　それは、グイン陛下のお子、ということか？」

「ヒョヒョヒョヒョヒョ」

二人に驚愕を喚起せしめたので、グラチウスはおおいに満足なようであった。そのくぼんだ目がちかちかとまたたいた。

「それについてはの、まだ誰も何も知らぬし、何も予測出来ぬよ、お二方。まだ、出来るか出来ぬかさえわからぬし、それが男か女なのか、豹頭なのかそうでないのかさえわかるまい。――だが、わしにはわかっておる。わしには星辰の行方が読めるからな。それに、グインはあれだけ精力活力さかんな男だ。そして生まれてはじめて得た愛妾もまた、元気一杯の、体力には自信のある踊り子だ。そりゃ、当然、まもなく近い内に、グイン王の側女ヴァルーサご懐妊、という報がケイロニア全土に流れたところで何の不思議もあるまいさ」

「グイン王が側女《そばめ》を？」

ブランはいくぶん目を白黒させて云った。

「そんな話は知らんぞ。聞いたことがない。グイン陛下はいつも、アキレウス陛下の息女シルヴィア姫に忠実であられたはずだ」

「そのシルヴィアが問題さね。ヒョヒョヒョヒョ」

またしても、妙に気になる笑い方をしながら、グラチウスは云った。

「あの女子《おなご》は考えの浅い上に、自分一人がこの世で酷い目にあわされていると信じている、どうも心得違いのはなはだしい女子だ。わしゃ断言するがね、ああいうおなごが、この世界に面倒を引き起こすのだよ。あの女は、自分がこの世で一番ひどい目にあわされ、一番虐待され、一番理解されていないと信じ込んでいる。アムネリスもそうだったかもしれんがの——がまあ、アムネリスの場合には、逆に、生まれた子どもにあんなひどい名前をつけておいて、あっさり自害してしまうだけの——まあ、気概、といっていいのかどうかわからんが、それだけの何かはあった。それだけでもまあ、あれはたいしたおなごではあったのかもしれぬ。そうやって、あの女は、イシュトヴァーンに復讐しようとしたのかもしれぬからな。だがシルヴィアときた日には、おのれが何をやっているのかも、おのれのしていること、してしまったことがこの世にどういう利害関係の大波や大混乱をもたらすかもまったくわかっておらぬ。だからこそ、平気でどんなことでも出来るのだ……」

「シルヴィア王妃が、何をしたというのだ」

ブランはそっとスーティを横たえ、上からもう一回やさしく自分のマントを着せかけ直してやると、身をのりだしてグラチウスをのぞきこんだ。

「シルヴィア王妃は、いま、どうなっておられるのだ。ケイロニアにはいったい何が起きているのだ」

「とりあえずサイロンの災厄は一段落ついたようだよ」

グラチウスは案外におとなしく答えた。

「サイロンの災厄――?」

「それについてもおぬしらは、旅の途中でたいしたことは知らんのだったな。じゃあ教えてやるが、サイロンは、このしばらくとてつもない災厄に見舞われていた。いまだかつて例を見ないほどひどい黒死の病の流行がサイロンを襲い――しかもどういうわけか、サイロン《だけを》襲っていたのだ。誰だって、ちょっとものを見る目のある魔道師だったら、こりゃあ、ただの流行病だのなんだのじゃあないと思うわな！」

「ということは、何者かの陰謀だ、ということか。グラチウス、そういうときにはたいてい俺はお前を疑うことにしているのだぞ」

「これはしたり」

グラチウスはまた不平そうに口をとがらせてスカールを見た。

「どうして、これほどおぬしによくしてやっているわしに、そういうことをいうかな。──それに、わしはそんな姑息なことはせんよ。そりゃ、ずっと以前から、わしはかの豹の男に魅せられ、そのとてつもないエネルギーとそれが秘めている謎に魅せられ、なんとかして、かの豹頭王を手にいれたいものだ、そうして、その秘密をときあかし、さらに大なるその奥にある秘密に進みたいものだと思っておったよ。そのためにも、ずいぶんといろいろな方策をめぐらしたものさ。そのたびに、いろいろと邪魔が入ったり、豹頭王当人がまんまと切り抜けたりして、いまだにわしのその宿望は、とげられるにいたってはおらぬがな」

「よい幸いだ。グインにとっても、世界にとっても」

「おぬしは、このところイェライシャなんぞとつきおうて、だいぶん人が悪くなったのじゃないか？」

不満そうにグラチウスは云った。

「あんなによくしてやったのに。じっさい、おぬしの病を治すために、わしゃ自分のたくわえた霊薬の半分以上を使ってしまったほどだったのに！　じっさい草原の民などというものは恩知らずなものだ」

「云うな。そう言いながらお前が俺のからだをお前の云うがままになるよう、作り替えようとたくらんでいたことはもうとっくにわかっているんだぞ」

「そうにべもなく云うたものではないて。魔道師が陰謀をしなかったら、いったいこの世はどうなるね？　平和すぎて、なにごともおこらんじゃないかね。ヒョヒョヒョヒョヒョ」

グラチウスは、ユリウスの赤い髪の毛をいかにもいとおしげに撫でた。

「まあ、それはさておき、グインがアキレウスよりケイロニア支配のほぼ全権を引き継いでほどなく、というよりもまるでそれを待っていたかのように、いきなりこの最初の巨大な災厄はサイロンを見舞った。流行はきわめて激烈で容赦なく、人口百万を誇るサイロンの、その人口のうち四割がたは死んでしまったのではないかな。――ことに老人、病人、幼い子どもなどはあっという間にやられてしまった。まあ、サイロン市庁も、ケイロニア政府も、これほどのすさまじい災厄に見舞われたにしては、まことに頑張ったと褒めてやらずばなるまい。グイン王と宰相ランゴバルド侯ハゾスとはただちに、この災厄がなぜかサイロンのみを見舞ったものであるということを確信し、サイロンへの、一切の人の出入りを禁じた。いまサイロンにいるものはたとえどのような火急の用件があってもサイロンを出ることを許されず、ましてサイロンを出て国外へゆくことは厳禁とされた。そしてまた、サイロン近郊の、サイロンに食物や生活必需品を供給しているごく一部の農家や商人をのぞいて、外からの旅行者がサイロンにはいることも厳密に禁止された。食物などを運ぶ商人たちも、そのルートは限定され、出入りごとにきびしく、流行病を発しておらぬかどうかの検査をされた上で、入口で荷をサイロン市庁の役人がかわりに受取り、その金をはらう、という方法で、サイロンの市中を歩きまわることは出来ぬよう決められた。流行が激しくなってくるにつれて、この取引の場所はサイロンの市門からも遠く設定され、とうとうさいごは七つの丘にそれぞれにひとつづつ、厳重に見張られた取引所が設定されて、それ以外の場所からは一切サイロンに入ることは出来なくなった。また、外の人間は近郊の農夫といえども、その取引所までしかやってこられぬようになった。――同時に、黒曜宮の高位の貴族たち、ことに高齢のものは、グイン王の強いすすめによって年番の三侯を残してすべて、サイロンを退出するよう求められ、国に帰るようにと命じられた――もっとも、すでに発症のきざしがあったものはそのかぎりではなかったのは当然だが、幸いにして、黒曜宮がサイロンから多少はなれているためかどうか、黒曜宮には、サイロン市内ほどに激烈な病の発生は見られなかった。――それでも、王の命令により、黒曜宮の住人すべては厳重な健康診断をうけ、身体検査をうけ、知ってのとおりちょっとでも黒いアザがからだのどこかに出現していたものは、身分の如何をとわず、ただちにサイロンにもうけられた隔離病院か、あるいは七つの丘にもうけられている保養所のどれかに行かされることになった」

スカールとブランは、思わず息をつめてその話に聞き入っていた。多少の消息はきいていても、そこまでの惨状とは、二人ともにはじめてきく話であった。

「同時に黒曜宮にサイロンの病の因子が入ってこないよう、最大限の警戒がなされた。が、これはおそらく黒死の病ではなく、ほかの原因であったのではないかと思われるが、ついにアキレウス大帝が発熱し、それを非常に案じたグイン王はアキレウス大帝一家をただちに星ヶ丘の隠居所へ戻らせた。同時にアキレウス大帝の相談役ローデス侯ロベルトも、ローデスへ帰ることを拒否して、大帝ともども星ヶ丘へ移った――そして、グインの王妃シルヴィアは、闇が丘の古い保養所を改装して、そこに避難することとなったのだがな。――まあ、これについては、そもそもが黒死の病がこのような爆発的な流行を見せずとも、いずれはそうなったに違いないが」

グラチウスは妙に謎めいた言い方をした。そしてまた、「フォフォフォフォフォフォフォ」と低く笑った。

2

「えい、勿体ぶった言い方をするやつだ」

いくぶん苛立ったようにスカールはくちびるをかみしめた。

「だがその手には乗らんぞ。そうやって、お前は我々をいらつかせて、おのれの思うとおりの方向へ引き回そうとしているのだ。そのお前の手練手管など、とっくに承知の上だからな」

「おお、だから、これはしたりというているじゃろう、さっきから」

心外そうにグラチウスは叫んだ。例の呪文をかけていなかったら、スーティがびくっと目をさましただろうと思われるような声だった。

「手練手管というてくれるか。わしゃこんなに親切に、サイロンの情報についてお前さんたちに流してやっておるのじゃないかね。もっともまだ、わし以外のものが知らぬような、本当に価値ある情報についちゃ、何も云っておらぬが。いまいったところまでは、多少なりとも事情を知っているものなら、だれでも知っているとおりだ。もっとも、サイロンは通行止めになっているわけじゃからの。外部の人間は、サイロンの内部がどうなっているのか、誰も知らぬよ。それはもう、選帝侯たちでも、いったん避難したものは知ることが出来ぬさ。もう、飛脚も伝令も、サイロンとかれらの領地とを往復することは禁じられているのだからな」

「そんなに、きびしくサイロンの孤立は守られているのか」

ブランは、正直、スカールとグラチウスの言い合いよりも、サイロンの現況のほうにはるかに興味があったので、思わず割り込んだ。

「サイロン内部では、だがもういくらか下火にはなりつつあるのだろう、黒死の病の影響は。それとも、まだ流行は真っ盛りなのか。だとしたら、いずれは、遠からぬ黒曜宮へも飛び火せざるを得ないだろうに……」

「黒曜宮への飛び火こそ、グイン王のもっとも恐れているものだろうよ。だから、グインは、流行がはっきりしてくると同時に、サイロン市庁舎内におのれの執務室をあらたにもうけさせ、忠実なランゴバルド侯ハゾスともどもそちらでずっと政務をとっていたのだ。さいわいにして壮年、青年の健康体のものにはこの病はなかなかうつらぬようで、グインもハゾスも、その側近たちもあまり発病した、という話はきかぬ。——わしは、こっそりとサイロン市内にもぐりこんでみたがな、まさに火の消えたようなありさまだったよ。あちらこちらに、黒い布をかけた、これから焼く予定の死体が積み上げられ、大通りをゆく人影もなく——ただ、通り過ぎるのは死体を死体焼き場にはこぶ、黒いしるしをつけた荷車だけ。それを運ぶ馬を御する御者は深々と黒いマントのフードをおろし、顔が見えぬように、またいまわしい空気が入ってこぬようにし——あは」

突然グラチウスが思わせぶりに手を叩いたので、二人は顔を見合わせた。

「なんだ。どうしたというのだ」

「そういや、それでそのサイロンからのがれて、スカール太子に話をしようとヤガにやってきたが、こちらでもやっぱり同じように、黒いフードつきのマントのフードをおろして陰鬱に歩き回っている連中しか見なかったわな、と思っただけの話だよ。しかも、そのなかにはもしかしたら、サイロンからやってきたようなものもいるのかもしれぬ。——サイロンにも最近は、ミロク教徒が、少ないとはいえ、おらぬわけではないからな」

「それは、何をほのめかしているのだ。ミロク教徒と、サイロンでの黒死の病の流行とのあいだに、何か関係があるとでもいいたいのか」

けわしく、スカールが云った。グラチウスは首を振った。

「そんなことはない。とりあえず、グインはどうやら陰謀の根幹をつかんだからの。一応、サイロンでのあれほど猖獗《しょうけつ》を極めた黒死の病の流行は終結に向かいつつあるよ。確かに大通りは死にたえたようになっていて、商店もあいておらぬし、物資がとぎれて人々は苦しんでいるし——王と宰相は一応必死に、地方から援助させてさまざまな物資を運び込み、それを苦しんでいる市民たちに無償で配給したので、かえって、いまだに復興のめどもたたぬマルガなんかより、よほどサイロン市民のほうが、困窮までゆかずにすんだだろうがな。とはいえサイロン、というかケイロニアはこれまで、何の災厄にも戦災にもあうことなく、世界のなかでもっとも安全で繁栄していて、そして幸福な都市としての栄華を何十年にもわたってほしいままにしていた国家だった。この黒死の病は、ケイロニアをまことにひさびさに襲った災難であり、巨大な災厄であったからな。——それが、こうした流行病であった、しかも、サイロンに限られたものだったということについては、それは当然、英明なグイン王と、明敏な宰相ハゾスがいることだ、『これはおかしい』と思わざるを得ぬさ。ホッホホホホ」

「ということは、その流行病は、自然に発生したものではなかった、ということか」

スカールは追及した。

「どうしてどうして。サイロンほどに、中原のなかでも、上下水道が整備され、清潔が重んじられていた都はほかにないといってよいとわしは思うよ。かつてはクリスタルの都こそが、中原でもっとも清潔で、かつ上下水道も整備され、衛生面にとても気を付けられている都市であったが、その栄光はいまやあとかたもない。まあなんとか、かつての栄光の名残の組織や設備があるから、それを直し直しして、一応清潔な水も出れば下水道もちゃんと動くようにされているから、あれほど荒れ果てて人手不足で物資不足になりはてても、とりあえずクリスタルはまだ清潔だがね。そりゃあもう、トーラスだの、タイスだのといった田舎都市に比べたら百倍清潔で安心には違いない。だが、サイロンもそれに負けず劣らずだったし、いま現在ということでいうのだったらそれは確実に、サイロンのほうがゆたかに決まっている。それが突然、よりによって黒死の病に襲われる、などということは——まことに想像しづらいものがあるだろう。黒死の病とは、不潔さと、人口爆発と貧しさと——そしてそこにおそろしい病の《もと》が発生して、すさまじい早さではびこるものだ。だが、わしにいえるのはたったひとつ、『サイロンの市門を出ない』ような、ききわけのいい病のもとがあってたまるかね。そんなことは、ありえないよ。七つの丘とその周辺の郊外は、それほどまでにサイロンから大きくはなれているわけじゃない。確かに清潔な空気や美しい森、そして美しい丘にかこまれて、それがサイロンを孤立させて同時に守っているのだろうけれど、そのサイロンの、きっちりと市内だけにしか黒死の病が流行らない、などというのは、あまりにもおかしなことだ。——もともとが《病のもと》にはそんな、場所を選んだりするような分別はないんじゃからの。もし、そんなふうに不自然なことが起きているとすれば、それは——」

「それは……？」

「誰かがたくらんだ出来事だ、というに尽きるさ」

「そしてその誰かとはお前だ、ということなのだろう。そうだろう、グラチウス、そうに決まっている」

「これはまた、情けないことを」

グラチウスは今度は、ちょっとばかり本気で腹をたてたふうに云った。

「おぬしらがあくまでも、そんなふうにしてわしの真情をねじまげてしか受け取らぬのだったら、いいとも、わしはもうおぬしらにかかわるのをやめて、おのれのやりたいようにやるよ。これでも、いろいろと忙しいことがあって――本当のところ、とてもとても忙しくて、こんなヤガなんぞにきていられるような身ではないんじゃからな。まあサイロンの後始末はもうほぼすんだといいながら――こちらにはこちらの事情もある。困ったことになってしまった部分もある。……何より困ったことは……あの五人が――」

グラチウスは途中でことばを濁した。

スカールはイヤな顔をしてそのグラチウスを見つめた。

「だまされるな、ブラン」

その声は、するどかった。

「このような言い分だけ聞いていればいかにももっともらしいし、親切にさえ感じられるが、その実、この老人は、決して、何らかおのれだけの知っている下心と陰謀なしには行動することなどありえないのだぞ。それほどにこやつの腹は黒く、その頭はあれこれと複雑なたくみに満ち、その目的については、われわれのような、所詮魔道師でないものはとうてい知り得ないのだ」

「ホホホホホ。いつのまにやら、随分と魔道師に詳しくなったじゃあないかね。それだってわしの薫陶のおかげだよ。もっともおぬしのそのことばには全部『それは黒魔道師の話に限られる』という前置きが忘れられておるがね。黒魔道師と普通の魔道師とは、まあ別の種族、まったく別々の生物と思ったほうがよいようなものさ」

「………」

「サイロンは、ただ単に黒死の病に襲われたわけではない。さらにおそるべき陰謀、恐怖と驚愕の災厄につかみとられたのだということを、グイン王は察したのだ」

グラチウスは奇妙な、歌うような声でいった。興奮したように、ユリウスが生白いからだをくねらせ、グラチウスの足もとにからだをこすりつけた。

「さすがに王は勇敢で、かつ行動力があったというものだ。王はただちに単身黒曜宮を出、サイロンのようすを調べてきた。だがまあもともと王は魔道師というわけではないでな。――だが、世捨て人のルカだの、くだんのイェライシャだの、王に味方する白魔道師は沢山おる。というより、ほとんどの魔道師は、黒いのも白いのも、なんとかしてグインをおのれの味方にひきいれたいと必死で願っているのさ。このたびのサイロンのうけた災厄だって、最終的には、それ以外のなにものでもない。かのキタイのあやしの王だって、あれはれっきとした魔道師、大魔道師じゃからの。それは、当然、グインの力を得たいと思うさ。グインほどのパワーを持った存在はほかにいない。そのパワーは宇宙そのものにすら続いている。——それを手にしたものが、この世界の覇者となるだろう……それは、普通の軍勢や権力によってよりも、魔道師にとってのほうが、いっそうはっきりと感じとられておるのだからな」

「お前のいうことは、いつも、わかるようでわからぬ。思わせぶりで、ふんだんに情報を垂れ流してくれているようであって、そのくせ、本当のところはなかなかわからぬ」

スカールが怒鳴った。かなり、苛々してきたのだ。

「というたところで、起こった怪奇をすべて話して聞かせても、いっこうに、おぬしらには、その真実も本質も理解は出来まいし、信じることもできないだろうさ」

いくぶん冷ややかに、グラチウスは答えた。

「ただひとつ断言出来るのは、このたたかいは、わしのおらぬところでおこなわれた、ということだよ。わしにまったくかかわりがなかったというわけではない。というより、それにかかわった魔道師どものうち三人までが、本当のところはわしの弟子、というか、門下というたらいいか、なんらかの意味あいで、黒魔道にたずさわるまでにわしの教えをこうたものたちであった。——いずれにせよ大したことのないやつらではあるが、それぞれに研鑽をつんで、おのれの魔力というものをえらく過大評価しおったのだな。それを、キタイの帝王ヤンダル・ゾッグにつけこまれることになった……」

「キタイの帝王、ヤンダル・ゾッグ……」

「こんなことを、何ひとつ知らぬ草原の鷹だの、それよりもさらに何も知らぬ、ゴーラ宰相の走り使いなどに話してやったところで、どうなるものでもないのだが」

むんずりとグラチウスは云う。

「ただ、わしにもいささかの用があるでな。なるべくならばその用というのは、何の手間もかけずにすませたい。――わしゃこのごろ、疲れてかなわんのだよ。あっちこっちで陰謀をたくらんできたが、いよいよあんなしろものが本気になって中原に乗りだしてくるなんて、まったく難儀なことだよ！　わしが、あっちこっちに手を出してるうちは、中原はどんなにか平和でよかった！　わしはもともとが、この世界を支配して異世界にかえてやろうなんぞという、ぞっとするような野望なんぞは持っておらなんだし、それにそもそもが中原に生まれて中原に育った人間だ。キタイだの、アモンのようなとてつもない異世界からきたような怪物とはわけが違う。わしにとっては、中原が平和であるというのは、けっこう大切なことでな。――もとい、言い直そうか。平和である必要はないな。むしろ戦乱の世のほうが面白い。わしが望んでいるのは、中原を、『わしが望んだように』盆栽か箱庭みたいにきれいにあやつりまわすことなのだよ。ここでこうなったら次はこう――そうして、ここにこのような国が出来たら、その次にはこうこう―

—それを、王たちに囁きかけたり、いろいろと吹き込んで、わしの思うどおりにさせてやるのは、いつだって、たまらぬくらい面白いことでな！　わしの一番の楽しみといったっていい。だが、わしゃ、世界征服しようだの、中原そのものをだって、征服しようなんていう気持はからっきし、ないのだよ。それは誰にでも何回もいっていても、ちっとも信じてもらえないようだがね」

「………」

スカールは眉をしかめてじっと本当のところをさぐるようにグラチウスを見つめていた。

グラチウスはいかにも長い長い年月を生きてきた魔道師らしく、白い長い眉毛をゆらめかせるようにして笑った。

「ひとことで云えば、わしゃ退屈しとるのだよ。いつだって、退屈しているのだ」

ユリウスが、グラチウスの足もとでにゃおーんとも、なーん、ともつかぬ奇妙なうなり声をあげた。その頭を、グラチウスはまたほとんど無意識に撫でてやった。

「おぬしとても八百年から生きていてごろうじろ。退屈のひとつもするというものだよ。しかも、おさめられるほどの黒魔道はすべておさめてしまった！　だから、あとはもう、わしの心を動かすのは、ただ、ノスフェラスの秘密、そしてノスフェラス生成にからむパロ古代機械の秘密だの、いくつかこの世界に存在する偉大な秘密だけだったのだよ。

それと、中原が、わしの思ったとおりに――わしのちょっとした気まぐれのとおりに動いていることとな。正直、わしゃあのユラニアという国家には、しばらく入り込んで中枢部の連中を操ったり、からかったりしていたのだが、しんそこうんざりしたのだよ。この国がもう終わってしまっていること、この国の寿命は尽きていること、そうして、この国からはもう何ひとつ、新しいものも、心ひくものも出てこないことがわかった。だから、わしは、ユラニアを滅ぼすことにした。――といって、わしはヤンダルみたいに乱暴なことはしやしない。直接政情に介入したりというようなことはしない。あちらこちら、つついてみたり、引っ張ってみたり――ちょっと仕掛けをしてみたり……グインをそそのかしたり、ユラニアのじじいをけしかけたり、クムの愚かな三兄弟にそれぞれに、自分がもっともクム大公にふさわしい、と思うようにそっと、その眠りのなかに囁いたり……フォフォフォフォフォ」

グラチウスは笑った。

「ありゃあなかなか楽しい遊びだったよ。それに、イシュトヴァーンだな。あの若者が、ちゃんとはたして本当に王になれるかどうか、王になってどういう運命をたどるか――こんな面白い見物はないじゃないかね。それについちゃ、わしゃいまでもイシュトヴァーンに興味を持っておるし、イシュトヴァーンとおぬしの確執にもとても興味をもっておるよ。いつかは、それが大変なことになるだろうか？　それよりも、その前に、おぬしとグインとが《本当に》出会って、『北の豹と南の鷹が出会うとき』本当の《会》が起きる、という伝説が実現するのか？――このあいだの星辰の《会》は、六百年にいちど、という大きなものであったにもかかわらず、結局のところ、グインの力によってその《会》は崩れ去ったようなものだよ。あれは驚くべき出来事だった。わしは、いったいヤンダルがどうするつもりかと思うたし、すでにイェライシャの奴が介入していたから、黙ってじーっとすべてのなりゆきを眺めておったがね。――それにしても、ヤンダルは、いきなりサイロンにあのように仕掛けてきたり――結局はあやつにとっては、あのようなかたちで仕掛けてくるのがヤンダル流の侵攻、奇襲というものなのだろうし、むろんそういうものには中原の人間はとてつもなく弱い。だからこそ、これからはじまる魔道の時代には、わしだの、イェライシャだの――まあせいぜい、その程度までかもしれぬが、それなりの力を持った魔道師がちゃんと中原の行く末を見定めていることが必要になるのさ。まして、ヤンダルが、ヤガに手をのばしてきたからにはね」

「ヤンダル――とやらが、ヤガに手を……？」

衝撃をうけて、ブランは叫んだ。そしてスカールと顔を見合わせた。

「そ、それは、どういう――」

「どういうもこういうもないわな。いまのヤガの状態を見ていて、何もわからぬのかいな。――ヤガは、ヤンダル・ゾッグに乗っ取られようとしておるんだよ。《新しきミロク》だのと名乗っている、馬鹿げた教団があるじゃろう。あれこそ、まさしく、ヤンダル・ゾッグが今回仕掛けてきたことさ。きゃつは、例の『六百年に一度の会』に望みをかけ、それにタイミングをあわせてサイロンに奇襲をしかけて、グインをわがものにしようと全力をつくしていた。だが、生憎なことにそのたくらみは破れ去った――破れ去ったものの、さすがヤンダル、そこに集めてきて、そのエネルギーを利用しようともくろんだ、残る魔道師ども――ヤンダルやわしやイェライシャほどの力はないが、まあ中級の魔道師としては充分に力を持ったおぞましいやつらだな。だがその上にゆくためにもっとも必要な《悟明》の境地にいたってはおらぬから、どうにもなりやしない。つまらぬ私利私欲、個人のあさましい欲望にふりまわされておるだけのことだよ。それでも、グイン王という存在がいかにすごいかを知って、無謀にもこの《会》にあわせてその驚くべきエネルギーをわがものとしたら、一気に世界で一、二を争う大魔道師となれるのじゃないかと、そんな無茶なことを考えて――それも結局はヤンダルがそそのかし、吹き込んだだけのことなのだがな。そうしてだが、そやつらを集めたのはただ、ヤンダルが、《会》にさいして、大きな魔道のエネルギーが壊れるのを利用したかったからだよ。そうして、それ見たことか、まんまときゃつらはヤンダルの体内に吸いこまれ、吸収されてしまった。――もっともさすがにそれだけの魔道師だからな。あっさり死に絶えたわけではない。きゃつらはただ、ヤンダルに吸収されてしまったのだ。そうして、ヤンダルが今度はヤガに方向をかえるなり、ただちにきゃつによって利用されている、というわけさ。そちらのカメロンの使い走りはまだ見ておるまいが、太子は、ゴミの山のような化け物を見たであろう？　あやつが、サイロンを襲った七つの化け物のうちの、『長舌のババヤガ』という、苔むした黒魔道師のなれのはてさ。もうすっかり、脳はヤンダルに乗っ取られてしまっている。気の毒にな」

「なんだと……あの堆肥の山のようなしろものがか」

さすがに衝撃をうけてスカールは叫んだ。グラチウスはうなづいた。

「ほかの連中もみなヤンダルの指揮下に入ってしまった、というよりもっと露骨に、ヤンダルそのものに吸収されてしまった。もともとが、ヤンダル・ゾッグというやつは、そうやって、高名な魔道師や、伝説の怪物などをおのれのなかに消化吸収しながらだんだん巨大になってきたという、えたいのしれぬ化け物なのだよ。やはりあれはあれで、普通の魔道師とはまったく異なる存在らしい。あれについては、わしもまだ本当のところは完全にはよくわからん。ただ、突然あらわれて大国キタイを乗っ取ってしまった、ということとくらいでな。いま、キタイでもいろいろと、なんとかしてヤンダル・ゾッグの支配から逃れようとする勢力がようやく多少の力をもちはじめ――それにはわしも多少手を貸してやったりしたのだがね。わしは中原ほどキタイにおこることに興味はないが、あまりにヤンダル・ゾッグに巨大な勢力になられすぎたら、わしのいる場所がなくなっちまうからな」

グラチウスはまたユリウスの頭をなでた。

「現にわしがあちらで持っていたわしの領土みたいなものは、ヤンダルに追い出されてしまったでな。もう、あの赤い塔に戻ることも出来ぬわ。——そういううらみは、わしゃヤンダルにはいろいろとあるのだが。だが、まさかミロク教団に本気で手をのばすとはね。これは、思わなかった——そうして、いま、わしゃ、思っておるのだよ。これはとても危険だ、とね。ミロク教団はいまどんどん大きくなりつつある。そこにヤンダルがかげにいる、などということになったら——これまで中原諸列強がミロク教団をそのまま放置していたのも、結局のところはミロク教団が何の野望ももたず、ただヤガを聖地としてひっそりとミロクの教えを守っている地味な教団だ、と思っていたからでな。それが、もし万一にもミロク教団が中原の覇権を狙う、なんぞということになったら——

——ブルブルブル」

グラチウスは大袈裟に身をふるわせてみせた。

「世界じゅうどのくらいひそんでいるかわからぬ、なんていうあいては、一番やっかいだよ。まとまった勢力なら、それ以上の力をもって駆逐出来るが。しかもミロク教徒というものは、素直で素朴だから、とても暗示にかけられやすいときている。ヤンダルにとっては、こんなに扱いやすい連中はなかろうよ。だからこそ、あっという間にヤガに入り込んでしまったのだろう。——サイロンにちょっとした波風をたてておいて、我々の目をヤガからそらさせているあいだにな。それにパロだってあやうい。いまの状態のパロは弱りきっているからな。そこにひとり、有能な能吏があらわれさえすれば、どのような方向へでも引っ張ってゆける——もしもそれが、ヤンダルに操られたやつだったりしたら、パロは、滅びるぞ、今度こそな」

「ウーム……」

スカールは唸った。まだあいてのことばを、すべて信じる気持になったわけではなかったが、しかしグラチウスの言葉は、なまじさまざまな情報を知り尽くしている黒魔道師のものであるだけに、異様な迫力があった。

「そして、ゴーラだ」

グラチウスは続けた。

「もしも、ゴーラが、ミロク教徒がはびこることに抵抗しはじめたら——正面きって、ミロク教徒を弾圧でもはじめてごらん。いまのゴーラは世界の非難をあびるだろうし、それはこれまでイシュトヴァーンがしてきたことからいってしかたないわな。といって、たとえばパロとヤガが手を組んでゴーラを非難し、敵にまわる、というようなことになると——そこにこのたびの災厄で疲弊したケイロニアがどうからむか……カメロンを失った沿海州は、どちらの立場に立つのか——だが、誰も、かげにいるのはおそるべきキタイの魔王だ、ということは知らぬ……」

いつのまにか、グラチウスの声は、いんいんと、鐘のような響き渡る反響をはらみはじめていた。

3

「あやういかな世界よ！　あやういかな中原よ！――ものごとがキタイの内部のみで終わっているのなら、それはそれでまだしもキタイにはキタイの運命と歴史があるとしよう、とわしは思っておったのだよ。わしは確かに黒魔道師でもあるし、わるさもおおいにすることはするが、さきにいったとおり、中原のことは愛している。こりゃ本当だよ。第一、中原を、ヤンダル・ゾッグなんていう、あやしげな、そのおおもとはどこからきたのかさえもわからぬ竜人族の怪物が取り仕切るようになったりしたら――わしの威光もまったく通じなくなってしまうというものじゃないかね！　だから、こりゃ大変なことだよ。例の《会》のときには、もし本当にグインが危なくて、イェライシャだけではどうにもならぬようなら、わしが介入してやろうとその準備までして待っていたのだが、さいわいにしてグインのパワーはヤンダルを圧倒してしまった。だが、そうやってグインの本当の力を知ったことは、ヤンダルにとっていっそう、グインを欲しいものにしたに違いない。――だからこそ、わしは、ヤンダルがヤガに手をのばして、ここをあらたなきゃつの拠点としようとしているらしいことが、怖いのだよ。珍しく、怖くて、心配で、気になってたまらぬのだよ。これは本当だ」

「何だかわからぬが……」

唸るように、スカールは云った。

「われわれ――ただの、普通の人間が、運命神ヤーンに操られ、懸命にそれでも運命にさからったり、抵抗したりして生き延びようとしたり、野望を抱いたりしているあいだに、そのもう一段上では、黒魔道師どもだの、どこからきたとも知れぬ奇態な怪物どもが、この世界をほしいままにしようと勝手な騒動をくりひろげている、というのだな！

とんでもない話だ！」

「たぶん、その上にももっと巨大な運命の神が存在していることだろうよ」

不思議ないんいんと響く口調でグラチウスは云った。

「わしは、おのれの力を信じているが、同時に、おのれがただのしがない一黒魔道師だ、ということは、一回も忘れたことがないよ。――黒魔道師としては出来うるかぎりおどろくべき力をも持つようになり、だからこそ《世界生成の秘密》などというものとさえ関与するようになりもしたが、しかし、世界というものは、どこまでも果てしがない。あのグインのような存在を見ていると、ますますつくづくとそう思わずにおられぬ。あのような存在がいて――そして、どこかからやってきて――それによって、この世界の運命もまた、大きく変えられてゆこうとしているのだ。それはおそらく、ヤンダルも同じことだが、ヤンダルは所詮まだグインに比べればずっと下の階層にいる存在だとわしは思っている。……なんと驚くべき世界であることよ。知れば知るほどにさらにその奥、上、高みが出てくる。そうして、おのれがどんなに小さな存在だか、思い知らされる。——力がつけばつくほどそうなってゆくのだ。だからこそ、わしは、ある意味、謙譲になったり、韜晦《とうかい》したりせざるを得ないんだよ、スカール太子。知恵というものは、結局のところ、謙譲と韜晦、それにつきるからな」

「——俺にはわからん」

そっけなく、スカールは云った。

「だが、それで、お前がここにあらわれてそのような話を俺たちに聞かせてくれた本当の理由はなんだ。何が目当てなのだ？　俺はむしろそちらのほうが最前から気になっている」

「目当てだと」

とぼけたようにグラチウスは云った。スカールは苛立ったようにそのグラチウスをねめつけた。

「俺にせよブランにせよ、またヨナにせよ——つまるところは、ただの一介の無名の人の子にすぎぬ。まあかつてはアルゴスの王太子として多少は草原の政治にからむことがなかったとは云えぬが、いまはもはやそれもなく、ブランのほうがまだしもゴーラの宰相カメロンの右腕であるだけ、重要な位置にあると云える。——ヨナについてはまた別としてもよいが、ともあれ、俺が知りたいのは、お前のような、よかれあしかれ大きな力をもつ魔道師が、どうしてそんなふうにケイロニアが大きな危機に見舞われたり、ヤガが変貌しようとしているような重大な変化のときに、こんな片隅の田舎にあらわれ、我々のような、そういう変化に直接かかわることのない、ただひたすらその運命に巻き込まれてもがきあがいているひとの子に、そんな重大な情報をもらし、平気でおそるべき秘密を知らせてくれてしまうのか——ということだ。云え、グラチウス。お前の目当ては何だ」

「これは、手きびしいことを」

グラチウスはぶつぶつ云った。

それから、ちょっとのあいだ考えているふうだったが、心を決めたふうに、スカールに向き直った。

「どうしても、そのように云うのだったらな、太子——どうだ。わしと、取引をせんか。取引を」

「またか」

きくなり、スカールは唸った。その眉間に、みるみる深いたて皺が寄った。

「ブラン、気を付けろ。こやつが『取引をしよう』と言い出したときには、必ずその奥に奥深いたくらみがある。それはもう、何回もの経験から俺にはよくわかっている。というよりも、わからざるを得なかった、といってもいい。このさきこやつのいうことは、ひとこととても信用するな。こやつの《取引》というのはつねに、陰謀を――それも決して一筋ではゆかぬ小昏い陰謀を秘めておるのだ」

「これはまた、酷いことをいう」

グラチウスは騒ぎ立てた。

「そうやって、ひとをどんどんおぬしは悪玉に仕立てあげようとするのだな。何回もいうが、確かに取引しようと申し出はしたが、わしがその取引どおりにしなかったことがあるかね。わしゃ約束は必ず守ってきたじゃないかね。おぬしをあのノスフェラスの放射能がもたらした髪の毛の抜ける病からも救ってやったし――それに……」

「そのかわりに俺をおのがものにし、すべてからだのひとつひとつの組織にいたるまで作り替えてしまおうとしたではないか、とこれまた何回云わせたらわかる」

むっとして、スカールは云った。

「嘘だというならイェライシャと対決してみるか。お前の取引はいつだって裏があるのだ。そしてそれは決して、相手にとって有利なものではない。俺は、お前のその《取引》だの《約束》だのということばをきくたびに、最近では、必ず、『ドールとの契約は当人の魂を滅ぼす』という、パロのことわざを思い出す。あれはことわざ、というよりは賢い真実のことばだったのだが」

「わしゃドールとは違う。わしはむしろ親切でいい人だと思っておるよ。のう、ユリウス」

「なおん」

白いぶきみなつるつるした胴体の古代生物が、あたかも猫《ミャオ》のように鳴いた。

足元にすりつけられているその赤毛の頭をいとしげにグラチウスはまさぐった。

「それごらん。ユリウスだってそういっているではないか」

「だったら、云ってみるがいい」

けわしく、スカールは云った。

「お前は、何が望みなのだ。今度のその《取引》とやらでは、お前はいったい何をたくらんでいる。云ってみろ。そして、俺らから何を取り上げようとたくらんでいるのか、白状してみるがいい」

「取り上げようとなんぞしてはおらぬさ。わしは、助けてやろうと思っているだけだ」

グラチウスはいかにも善人そうに、目をぱちぱちさせた。

「わしゃ思うのだよ。――おぬしらはこのままじゃ、とてもヤガの勢力圏から抜け出すことは出来来ぬ。ヤガ、というか新ヤガ、《新しきミロク》実はキタイ王ヤンダル・ゾッグがウラで糸をひいている新しいヤガは、こうしている間にも着々と、新しいぶきみな黒い勢力としてもともとは素朴な聖都であったヤガに手をひろげつつあるし、その力はいまの段階ですでに、けっこうバカにしたものでもない。とにかくもっとも重大なのは、それがすべて魔道の力を下敷きにして出来上がっている、ということだ。――たとえば一万人の軍隊は、一万人の軍隊というだけのものだが、これがもし、一万人の魔道を使う軍隊、魔道師によって形成されている、少なくとも魔道師に率いられている軍隊だ、ということになると、これはただの一万の軍隊の十倍の威力はあるよ。なんとなれば、ただの一万人の兵士たちは、ただ一万人の兵力でしかないが、強力な魔道師に率いられ操られた一万人の兵士たちは、まず一切指令にさからわず、きわめて忠実に云うことを実行するし、その上に、場合によっては、おそらく死んでからもゾンビーとなってよみがえってくるからな。おぬしも何回もそのためしは見たことがあろう。――つまり、一万人の部隊といえど、魔道師がついているからには、それは五万人の兵士、十万人の兵士にも匹敵するものになる、ということなのだ」

「それはわかっている。俺にはもう、魔道の力はずいぶんとよくわかっているつもりだ」

スカールはむんずりと云った。

「だから、どうしようというのだ」

「おぬしらが、ヤガから出るのに手を貸してやろう」

グラチウスはなんとなく、舌なめずりをするような感じで云った。

「まったくの無償でな。だから、これは、取引などというより、わしの奉仕、親切と思ってもらえばいいことだよ。何をいうにも、アルゴスの黒太子スカールとはもうすでに昔馴染みじゃし、古馴染じゃし、いろいろないきさつもあったことでもあるでなあ。ここで、キタイの魔道師なんぞに、おぬしらが捕らえられたり、殺されたりする憂き目をみるのはわしの本意じゃない。だから、力を貸して、一瞬にしてここから脱出させてやろう。わしの力がないと無理だよ。もう、じっさいには、《新しきミロク》の幹部どもには、おぬしがどこにいるのかも、どこでどうひそんでいるのかも知れていると思うぞ。いま、知れていなかったとしても、ちょっと調べればただちにわかることだ——おぬしはまた、前にもいうたことだが、常人よりもずんと大きなパワーを放っている上に、そのおぬしの連れている子供——これがまた、ただものではないでな。じっさい、わしは、おぬしの存在を見つけようと思ったとき、おぬしよりもさえずっと巨大なパワーを放つものがかたわらにあるのを見てとって、なにごとかと思って迷うたくらいだったよ。もしかして、イェライシャだ、グインだとまではいわずとも、誰か非常な力をもつ魔道師か英雄——そのようなものが、おぬしをすでに助けようとしているのではないか、と思ったくらいだった。この年齢でこれだけのエネルギーを放つ——もっとも、この年齢というのは、まだおのれでおのれの力を制御することを知らぬゆえ、力ある子供というのは、時として恐しいほどのエネルギーを放出することがあるのだが――」

「……………」

思わず、スカールとブランとは顔をひそかに見合わせた。

「この子には、そんな力があるのか」

スカールはたまりかねたように云った。

「確かに、俺にもこれはとうてい、普通の子とは思えぬが、こんな幼いうちから、もうそれほどのものを内包している、ということなのか、この子は」

「まあもともとの素質、資質というものもあるし――それに、やはり、父親が父親だからのう」

挑発的に、グラチウスは云った。

「あの父親もまた、真紅の禍いの星を額にいただいて生まれてきた、なみなみならぬ運命を持ち合わせた人間だ。そうした父の血をひくからには、この子もまた、とうてい、普通の人間として生きるすべはありようもないさ」

「むう……」

また、スカールとブランはひそかに目を見合わせた。

だが、グラチウスの次のひとことが、さっと、二人を我に返らせた。

「だから、いうているのじゃ。この子をこのままにしておいては危険だ。いますぐヤガ圏内を、わしの魔力に頼って脱出し——そして、この子はわしが預かっておいてやるから、わしの配下の魔道師とでも力をあわせて、ヨナとこの子の母親を救出にいってはどんなものかね。——それがわしの申し出る今回の取引だよ。どうだ、何の嘘もいつわりもないじゃろ。それどころか、こんなひとのいい申し出はめったにないというくらい、おだやかな、温厚な、善良な申し出じゃないかい」

「なんだと……」

スカールはグラチウスをにらみつけた。

だが、口を開いたのは、ブランのほうだった。

「きさま——この子を、スーティ王子を狙っているのか！　さては、きさまの目当てはスーティ王子だな！」

「なんで、わしが、そんな赤ん坊に毛のはえた程度の子をどうこうしようと思うかね？」

グラチウスがとぼけたように答える。

「わしゃだから、親切でいうているだけだと何回もいっているだろう。そんな小さな子を連れて、相手はまだキタイ王当人ではない、それの手先だとはいえ、キタイ王がこれと見込んだ魔道師が率いるぶきみな魔道師軍団だよ。それを相手に、ヤガを脱出することなど、普通人のお前らに出来るものではない。だからというて、そんな幼い子を、巻き添えにして罪もないのにヤンダル・ゾッグの毒牙にかけるにはしのびないじゃないかね。おぬしらだって、この子をどこかに預けておいて、それで母親とヨナ博士を救出しなくてはならぬ、という結論に達しかけていたところだったろう。トルースなんてとんでもない――あんな普通の国、何の魔道にたいする心構えももたぬ国に、子供を預けておいたって、たちまちのうちにキタイの魔道師どもはこの子の行方を探り当ててしまうよ。そうしたら、トルースの騎士団など何の役に立とうぞ。――そんなことは百もわかっているからこそ、おぬしらも、この子をどうしたらいいか、困っていたのだろ。だから、云うのじゃ。わしに預けなさい。――この子をわしに預けて、安全にしてやって、その上でヨナとフロリーを救出にいったがいい。その手助けもしてやるよ……大丈夫、わしのところくらい安全なところはない。わしのところでかくまわれていれば、たとえ世界中どのような外敵がきたって、決してこの子の行方はわかるものじゃないし、それはキタイ王にしたところで同じだよ。わしの結界のなかに隠されて育っているかぎり、この子は決して行方はわからぬだろう……」

「結界のなかに――隠されて――そ、育ってェ？」

ブランがおもわず、声をあげた。

「そ、それじゃ――きさまは、スーティ王子を、おのれのものにしようというのじゃないか。いっときかくまっていてくれようと見せかけて、その実はスーティ王子を奪っておのれのものにしようというのじゃないか！」

「だから云っただろう。こやつの言い分にはひとつひとつ、必ずかげの深いたくらみがあるのだと」

スカールは云った。スーティは、おのれの身にどのような危険がふりかかろうとしているのかも知らぬように、すやすやと眠っている。その浅黒い、子供にしてはよく整った顔が、はっきりとイシュトヴァーンを思い浮かばせることに、スカールには相当に複雑な思いもまた、存在していた。

「手に入れるの、おのがものにするのと人聞きが悪い。わしゃ、いくらなんでも、まだ三歳になったばかりの子供に手を出すような鬼畜でも、ガキ趣味でもないぞよ」

グラチウスが反抗した。

「ユリウスが食指を動かしてもちゃんとわしが止めておくし。そもそもユリウスも、このところすっかり災難が続いたので、だいぶんおとなしゅうなってしまったでな。前のような悪さはもうせぬよ。キタイの隠れ家も見つかってつぶされてしもうたし、わしもすっかりこのところ、おとなしゅうなってしもうたでな」

「云うな、グラチウス」

苛立ったように、スカールは決めつけた。

「もうそれできさまのたくらみはよっくわかった。結局きさまはスーティ目当てにあらわれたのだな。だが、何故だ。この子がイシュトヴァーンの子なのはともかく――なんでこんな幼い、まだ赤ん坊にもひとしい子に目をつけるのだ」

「だから、目などつけておらぬて、おぬしらを助け、ラクにして、おぬしらがこの子の母とヨナ博士を助けにゆくのを手伝ってやろうとしておるだけだ、といっておるじゃないかね」

「俺は信じんぞ」

スカールはけわしく云った。

「絶対に、お前の何の底もない善意など信じない――ワッ!」

思わず、さすがのスカールも声をあげた。

いきなり、囲炉裏の火が、ぱっと燃え立ったのだ。そしてまわりに白い灰が散った。あわててブランはスーティをかかえて飛びすさり、二階の段の一番奥へ退いて剣をかまえた。スカールも剣を構え直そうとしたが、ふっと力をぬいた。

「大事ない、太子、わしだ。わしだ」

もうひとつの、耳に馴染んだ年老いた声がきこえてきたのだ。同時に、ゆらゆらと燃え立つ炎のなかから、ひとの上半身がまるで炎で描いた幻のようにあらわれた。それは、白髪の、グラチウスと同じくらい年取った男のすがたであった。

「イェライシャ！」

「とんだあらわれかたをして、おどろかしてすまぬな、太子。だが、こやつグラチウスが、この納屋一帯にきわめて強力な結界を張っておるものでな。——いかにわしの力といえど、正面からそれを突破することは出来なかったのだ。——だが、どれほど強力な結界といえども、いくつかのすきまだけはどうしても残る。それが、炎の燃えくちと、そしてひとの眠りのなかなのだ。それで、このような、いささか荒っぽい登場のしかたになった。すまぬな」

「何しに出おった、イェライシャ、先日わしにこてんぱんにやられたいたではもういえたのか」

一瞬、珍しく仰天したようすに見えたグラチウスは、しかし、すぐに、落ち着きを取り戻したようだった。その目が赤く悪意と憎悪をはらんで燃え上がった。

「あれは炎の山でのことであったな。またしてもわしの邪魔をしにのっと出たのか。どこまで、わしの邪魔をしたらすむ。あまりにもわしの逆鱗にふれると、もう本気で許さぬぞ、イェライシャめ」

「火の山ではきさまこそ、われの魔道にたじたじとなって這々《ほうほう》の体で逃れていったくせに何をいうか。この黒魔道師の親玉め」

イェライシャはふんと肩をすくめた。

「そんなことはどうでもよい。我々はあのルールバとエイラハのような、しもじもの木っ端魔道師ではないのだ。きゃつらがサイロンで繰り広げたような、あさましい罵り合いにむなしく時を費やすのはよそう。――それより太子、決してこやつのことばに乗せられてはならぬ。おぬしはすでに学んでいる。おぬしは賢い――おぬしの思う通りだ。こやつのやることなすこと、云うことのウラには必ず、黒い、巨大なたくらみがあるのだ」

「おぬしのいうことなら、俺は信じるぞ、イェライシャ」

スカールは云った。

「ブラン、この男も魔道師だが、こちらは黒魔道師ではない。よい魔道師、とばかりも云えぬのかもしれぬが、少なくとも俺のいのちを本当に救ってくれたのはこの男なのだ。だから、この男のいうことのほうを俺は確かに信じている」

「この老人とは、どこかで会ったことがあります」

ブランは云った。それから、大きくひとつ手を打った。

「ああ、そうか。――私がパロからゴーラに帰ろうとして、ひどい病気になり、ひと月も足止めをくらっていたときに、同宿になって、私の病気を診てくれた、旅の医者だと名乗る老人がいた。あなたは、あのときの人だ」

「まあ、大したことはしておらぬよ」

イェライシャは云った。

「だが、われはグラチウスの宿敵といってよいものだ。それだけでも、われには、グラチウスがつけ狙うものを守る理由があるし、ことに、それがスカール太子やスーティ王子のように、中原の行方にとって重要な意味をもつ人物であってみれば、何があろうと、それらのものをグラチウスの毒牙にかけさせはせぬ。――われもまた、ずっと、おぬしらがヤガを抜け出すところから、見張っていたのだ」

「見張っていたというのなら、ヨナとフロリーの運命もわかるだろう、老師」

スカールは、はるかに丁寧な態度になっていた。

「ヨナはどうなった。また、ヨナを護衛していた俺の部下たちが全滅した、というのは本当か」

「残念ながら本当だ。ヤガに巣くうぶきみな新勢力にあやつられた怪物があらわれ――黒い巨大な女怪物とそれが操るガーガーの群れが、おぬしの部下の草原の騎馬の民をすべて殺してしまった。そのしかばねは林のかげに打ち捨てられたままになっている。そしてきゃつらはヨナ博士を拉致して逃げた。おそらく、行く先はミロク大神殿――それは、同じくぶきみな怪物に拉致されたフロリーが連れてゆかれたのと、同じところだろう」

「おお」

ブランは叫んだ。

「でも、それだったら、フロリーさんは生きてるのですね。だったら、私もスーティ王子に対して、ほんのちょっとはほっとするというものだ。この年齢で、あんないい母親を失ってしまったら、あまりにもスーティ王子があわれすぎる」

「さあ、ミロク大神殿のなかこそは、きわめてあやしい闇の迷宮そのもののようになりはててしまっている。そのなかで、ヨナ博士についてはきゃつらには、どう使ってやろうという非常にはっきりした目的があるからともかく、偶然拉致したフロリーの運命がどうなるかは、そこまではわしにもわからぬ。だが、とりあえず、拉致されたとき、息絶えてはおらなんだのは確かなことだ」

「それだけでも、あそこであの化け物に殺されてしまったより百倍マシだ」

ブランは力をこめて云った。

「だったら、なんとかして、老師様のお力をお借りして、私もなんとかフロリーさんを助け出すように力を絞ってみますし」

「おいおい、お前ら、あまり勝手なことばかり言い散らしているものじゃないぞ」

いささか忘れられた存在になっていたグラチウスが腹立たしげに声をあげた。

「こやつになど、こんなところに首をつっこむどんないわれもないのだからな。いまこの火をこうして消してしまえば、その結界のさいごの通り口もつぶされてしまうわ。それ、ざまを見るがいい、イェライシャ」

グラチウスが両手を囲炉裏に向けると、いきなりその掌から噴水のように水が噴き出した。そして、それが囲炉裏の炎にむかって襲いかかった！

4

「愚かな。それほど簡単にわれを押さえ込むことなど、もうお前には出来ないのだと、まだわからぬのか」

だが、イェライイシャは鼻で笑った。そして、こちらも両手をあげると、炎のなかにまだゆらゆらと立っているように見えたのだが、ふいにまわりから炎はすべて消えてしまい、そのかわり、イェライイシャのまわりに透き通った皮膜のようなものがあらわれた。グラチウスの手から噴き出す水は、その皮膜にあたると、そのまま下に流れ落ちてしまうのだった。

グラチウスは怒り狂った。

「ええい、このじじいめ。呪われた死に損ないめ。またしてもひとの邪魔をしにあらわれて来おって。なぜそうゆくさきざきでわしの邪魔をする。きさまには壮大な野望などかけらもありはせぬことくらいわしにはちゃあんとわかっているのだぞ。だのになぜ、わしの邪魔をする。何のために、そこまでしてわしの邪魔をするのだ。このくそが、くそが」

「ということは、やはり壮大な野望とやらがある、ということだな」

スカールがせせら笑った。イェライシャはグラチウスの攻撃をべつだんものともせずそのままはねかえしながら、スカールのほうをまっすぐに見た。

「その通りだとも、太子。われは以前、おぬしに話したことはなかったか。——魔道師、あやしい野望をもった黒魔道師というものは、みな、ひとしなみに、最初は幼い子どもを狙う。なぜかわかるか。子どもならば、まだその知能も成熟せず、常識も入り込まず、頭が固くなっておらぬゆえ、大人よりもはるかにおのれの内にとりこみ、《悪魔の種子》を植え込みやすいからだ。われの知るかぎり、パロの不幸な先王レムスがノスフェラスの砂漠で魔道師カル＝モルにとりつかれたのも、十四歳のみぎりだった。子どもを育て、その脳裏におのれへの服従をひそかに刻みつけておく、というのは——おのれの手で育てるまではゆかずとも、一定期間子どもを掠っておいて、その子どもの脳の一部におのれの命令に従う回路を作り上げる、というのは、このような黒魔道師のもっとも得意とする手法だ。そうやって、実際には自分はすがたかたちをおおやけにあらわさぬままで、この男は、グラチウスは、旧ユラニアをあやつり、ついには破滅まで追い込んだのだ。——もっとも、ユラニアの場合は、幼い子どもをあやつってそうしたわけではない。あのように頽廃してしまった国家の、退嬰的な、おのれの欲望にしか関心のなくなった人間、というものも、幼い子どもと判断力を失った老人、半狂乱になっていてとりつかれるすきのたくさんある女に続いて、黒魔道師には操りやすいものなのだ。――それに反して、黒魔道師につけいれられにくい人間というのは、むろん、おのれのある人間、おのれの確立している人間、おのれの考えがあって、頭のなかに、おのれの考えと違う考えが入り込んできたら、それはもしかして、なにものかに影響されていはしないか、とただちに疑ってみるような正気の人間なのだよ、太子」

「えい、何をべらべらと、偉そうに」

グラチウスは憤慨した。だが、突然、イェライシャにむけて水を流れさせるのをやめた。

「くそたれの抜け黒魔道師めが、今度こそ、きさまなどキタイの竜王にしてやられて永遠にドールの領土に飛ばされてしまうがいい」

グラチウスは捨てぜりふを吐いた。うねうねとユリウスが、グラチウスの背中に這い上がり、その肩にまきつくようにして顔を出してこちらをみる。そのまま、その真っ白な顔のなかの、真っ赤な、瞳のない目が、スカールとブランをねっとりとねめまわすように見た。

思わずブランは全身を総毛だたせてあとずさりした。ユリウスはにっと笑って真っ赤な舌べろを長々と出してみせ、ぺろりとおのれの唇をなめずったが、何も云わなかった。

もう、言葉を発することそのものに、倦んでしまった、とでもいうかのように、ユリウスはまたグラチウスにからみついた。

「えい、そう、くねくねするでない。邪魔ったい」

グラチウスは怒った。だが、そのまま、ふいに上にむかって上昇しはじめた。ユリウスをからみつかせたままだ。

上には当然納屋の屋根がある。それも気にもとめぬようすで、グラチウスは上昇しつづけたが、頭がいまにも納屋の屋根にぶつかりかけたところでいったんゆらりと停止した。

「とんだ水入りとなったわえ。仕方ないゆえ、今夜のところは引き揚げるが」

グラチウスはまだ腹立たしさの余韻が残っているようすで、落ち窪んだ黒い目をまたたかせた。

「また、今度こそ、このようなけしからぬ邪魔の入らぬところで、おぬしらと話をちゃんとつけにくるでな。また、おぬしらも、いつでもどこでも、わしの助けが必要となったならいつでも『グラチウス、きてくれ。俺にはお前の助けが必要だ』とひと声、叫ぶがよい。わしはいつでもおぬしらの動静を見張っておるし、おぬしらからの声に注意しておるよ」

「あのような言葉にだまされるな、太子」

イェライシャが云った。

イェライシャも、もうグラチウスがおそらく結界をといたのだろう、囲炉裏の炎のなかに立っているのをやめ、ひょいとなにごともなかったかのように囲炉裏ばたをまたぎこして、かれらの側に立っていた。グラチウスはそれを見下ろして、どうしてくれたものか、と考えるようにまばたきしたが、また肩をすくめた。

「こんな老いぼれになど、キタイの竜王に立ち向かうことなど出来はせんぞ。それはいずれおぬしも思い知ることだろう、太子。だがそれからでも遅くはない。いつなりとわしはおぬしが、わしの助力を求めるのを待っている――それに、スーティ王子については、必ず、わしが預かって……必ず、わしの縄張りにいったんはかくまってやるでな。もしも王子について難儀がおきたらいつなりとわしの名を呼ぶことを忘れんようにな」

「もう、いいから、早く行こうよォ」

はじめて口をきいたのはユリウスであった。

「うるさい。お前は黙ってくねくねしとればいいんじゃ。下等な古代生物の生き残りめ」

グラチウスは云った。それから、そのまま、そこには天井も屋根も何ひとつないかのように、上昇しつづけ――ということは、からだが納屋の屋根を突き抜けていったのだが、そうして、そのままどんどんのぼっていったので、とうとう下から見ているとただ屋根の下に白い長い衣を着た下から皮のサンダルをはいた老いさらばえた足が二本出ていて、そのかたわらに白い長い、くねくねするしっぽのようなものがうねっている、というだけの光景になった。

そのまま、だが、さらにグラチウスは上昇を続け、とうとう屋根を突き抜けてしまった。とたんに、もう何も見えなくなり、あたりはしんとしずまりかえった。

イェライシャは、素早く手を動かして印を結んだ。

「さ、これで、おぬしらは明日の朝まで安心していくばくの眠りをとれる。――というたところで、もう朝まではいくらもないがな」

イェライシャは云った。

「いま、グラチウスがゆきがけに結界をほどいていったので、それに入れ替えてわれの結界を張ったところじゃ。心配することはない、われの結界のほうがグラチウスの結界よりはるかに強力な上に、グラチウスの結界は何をいうにも黒魔道師の結界ゆえ、そこに黒魔道師が結界を張っている、というのがとても目立ってしまう。少し魔道を使うものなら、そこにきわめて強力な黒魔道師がいて、ひそんで結界を張っているらしい、と、誰とまではわからずともわかってしまうし、ちょっと力のある魔道師なら、その結界の張り方だけで、それが〈闇の司祭〉グラチウスであることを知ってしまうだろう。われの結界のほうがずっと安全なことは保証するぞよ、太子。――ところで、体調はどうだ」

「あれ以来、それほど悪くなったことはない。それについては本当におぬしに感謝せぬとな、イェライシャ」

スカールは答えた。

「だが、俺には、どうも納得のゆかぬことが出来てしまった。おぬしは、なぜここにあらわれたのだ。――おぬしもまたグラチウスのように、我々の行動を見張っていたのか？　おぬしも、スーティ王子をおのれのものにしようというので、我々を追いかけてきたのか？　そもそも、イシュトヴァーンの血をひくというだけで、いまだ中原にその存在を認められているわけでもないこの子を、グラチウスまでが目の色をかえて追っかけまわすというのが俺にはよくわからぬ。――幼い子どものほうが、脳のなかに回路を仕込むのに適している、とさいぜんおぬしは云っていたな。あれは、そもそも、どういう意味だ」

「それはもうほかでもない、スーティ王子がイシュトヴァーン王の長男だからこそその騒動なのだとわしは思っている」

イェライシャは云った。

「ドリアン王子は現在まだ二歳になったばかり。スーティ王子のほうが、年上ゆえ、あくまでもこちらが長男ということになる。ということは、イシュトヴァーン王が認めれば、この子が将来のゴーラ王二世になる、ということだ。——その将来のゴーラ王の頭のなかに、たとえばグラチウスの命令ないし暗示が伝わってきたら無条件にそれに従う回路がすでに仕込まれていたら、どういうことになると思う。——カル＝モルにあやつられたレムス王が、とうとうパロをいまのような状態にまで衰弱させるにいたってしまい、いっときは破滅させかけたように、ゴーラを、王を介在して操ることは魔道師にはとても簡単なことだ。しかもゴーラは新興の国家で、まだいろいろな組織や形式が確立されておらぬ。それをおのれの自由に形作れるとなれば、それはもう、ゴーラがグラチウスの領土となったのと同じことだからな。この少年はグラチウスの自動操縦機械となる。——グラチウスは、いや、たぶんグラチウスだけではないが、そもそもはイシュトヴァーン王が、あのような酒に溺れる人格であるから、比較的操りやすいだろうとたかをくっていたのだろう。だが、じっさいにイシュトヴァーンに接触してみて、何回かそれに失敗した。それで、ならばいっそ長期計画で、イシュトヴァーンの次の王が完全に自分の手の内にあるならばこちらのものだ、と考えたのだろう。——キタイ王が何を考えているのかはわれにはわからぬ。正直いってわれの敵はドール教団であり、ミロク教団がキタイの手に落ちたところで、それによってもしもドール教団の力が弱まるのなら、それはわれにには歓迎すべきところなのだ。このへんは、おぬしらにはわからぬ、複雑ないきさつと事情があるのだよ」

「それは、まあ、かつて少しだけ聞いたことがあるが……」

スカールは肩をすくめた。

「結局のところ、おぬしが乗りだしてきたのは、ただ単にグラチウスの野望をはばみ、グラチウスの計画を阻止するためだけだと、おぬしは云いたいのだな。そこには何も他の邪心はないと。それを、俺は、どうしたら信じられる。――いや。おぬしのことはグラチウスに比べればはるかに信じられる魔道師だとは思ってはいるが、それでも魔道師は魔道師だ。これまで世話にもなってはいるが、それでも魔道師は魔道師だ。さいごのさいごまでは、どうしても、常人とまったく同じ心情や神経を持っているだろうとは思うことが出来ぬ」

「その用心はまことにもっともだし、そのくらいの用心がなくてはかなわぬところだ」

イェライシャは笑って云った。

「ここで、われが、ではわれがスーティ王子を預かってやろう、などと言い出したら、ますます、おぬしにしてみれば、よしんばもっとよい意図にせよ、われもまたグラチウスと似たりよったりの野望を抱いている、と思うに違いない。――それにわれは、もしおぬしがそう頼むのなら、おぬしに助力することそのものがわれにとっては乗りかかった船だ、いくらでもスーティ王子をわれの結界にかくまって預かり、成人するまで安全に育ててやってもよいとさえ思うが、おそらく、そうはならぬよ。――それは、この幼い子どもにきわめて特殊な環境を与えることになる。だが、この子のうしろに出ている星は、そのような、特殊な――魔道師に守られて二十歳まで育つ、というようなものではない。この子の上に輝いている星はごく通常の――といったらおかしいが、この子がごく普通の子どもとして育ち、育ちながらおのれのもつ本来の力によって、力強く光り輝きだして中原に巨大な光を放つ巨大な星となってゆく、というものだ。――そのことも、星占いにより、わしにはよくわかっている」

「ということは……おぬしは、どうしたらいいと思うのだ。――この子はグインのもとにゆきたいという。この子を、ケイロニアに預けるのが正しいと思うか」

「それは、いまは、とてもムリというものだ」

イェライシャは首を振った。

「グラチウスがどこまで本当のことをおぬしらに云ったか、われにはわからぬことだが、いま現在、サイロンは、ようやく黒死の病の大災厄、魔道師どもに見込まれてしまったおそるべき――市民たちは知らぬにせよまことの災厄としてはかえってもっと恐るべきものであった、グイン王ひとりが対処した災厄から逃れ出たばかりのところだ。――正直いって、これまで、ゆたかで世界一の軍備を誇るケイロニアが、このように突然の窮地に追い込まれることはなかった。アキレウス大帝からグイン王に支配者が交替したとたんに、このような災厄がサイロンを襲った。確かにグイン王は宰相ハゾスともども、よくやった。ありったけの力をふりしぼってこの災厄を払いのけたのだが、市民たちは、このしばらく知らなかった巨大な災害に茫然として打ちひしがれている。これまで、おのれの圧倒的な安全と優位と繁栄を確信し、それに安住していただけに、サイロン市民の衝撃は大きい。——その上に、グイン王の本当の手柄——サイロンに仕掛けられたキタイの竜王のワナを無事に撃退した、という、魔道の領域の戦いについては、サイロンの一般市民はついに永久に知ることはあるまい」

「それはまあ……そうだろう。普通にきかされたところで、なまなかに信じられるような話ではないだろうからな」

「グイン王はこれまで、とにかくケイロニア国民に圧倒的な支持と信頼とを受けてきた。その豹頭の異形までもが、何の問題にもならぬくらいに、つねに支持と喝采とをあびせられてきたのだ。だが、いま、グイン王権ははじめて巨大な危機に直面した。むろんグインもハゾス宰相も、みごとな手際で災厄の後始末にあたってはいるだろう。だが、どれほどみごとな手際であろうとも、サイロンの失ったものは大きい。いまだかつてなかったほど、いまのサイロンは疲弊し、弱りはててしまった。その上に、いとしい家族、子どもや大事な老父母を失ったサイロン市民たちは、やり場のない怒りと不満をこの黒死の疫の爆発的な流行に対して抱いているだろう。それが、グインのせいでなどありえないことは、分別あるものにはよくわかっていても——まもなく、必ず、黒曜宮が無傷であったことをとらえて、『なぜサイロンがここまでいたでを負ったのに、黒曜宮は無傷のままでいられたのか』と言い立てる者が出てこよう。また、むろん、今回のことすべてを仕掛けた張本人、ヤンダル・ゾッグにしたところで、決してこれでケイロニア攻撃を諦めたわけではなく、むしろこれは、ケイロニアに対する攻撃の第一段階だと考えねばならぬぞ、ということは、われは、おぬしらのほうが一段落したら、早速ただちにサイロンにいって、豹頭王に進言してやるつもりなのだがな」

「これは、ケイロニアに対する攻撃の第一段階にすぎぬ——だと……」

「いまのグイン王はすっかり忘れ去っている——いや、むしろ忘れさせられているが、彼はキタイにおいて、いったんヤンダル・ゾッグに苦い敗北を味あわせた。キタイのみならずこの世界全部をおのれの世界、おのれの領土にしようとたくらんでいるヤンダル・ゾッグにしてみれば、このようにパロが弱体化しきり、ゴーラもまた、王がたえずふらふらと行方さだまらず、クムはまあとりあえず盤石とまでは云わずとも安泰かもしれぬが、そこでこれまでまったく、どのような敵国であれ一矢をもその内部に射込むことはムリだろう、不可能だろうと信じられてきた、中原の大盤石たるケイロニアの支配体制に、ゆるがすスキを見つけた、というのは、ヤンダル・ゾッグにとってはきわめて重大なことだよ。——むろん、はるかなキタイから攻撃をしかけてきているヤンダル・ゾッグだ。最初はパロをおもだった目的として、竜騎兵たちを送り込み、あなやというところまで攻め立てたが、結局グインの力もあってパロから撤退を余儀なくさせられた。だがパロが弱体化していること、この次にもし同じような攻撃が仕掛けられたらパロはひとたまりもないだろうということはヤンダルにはよくわかっているだろう。だからこそ逆に、ヤンダルはたやすく手取りにできるパロをそのままにして、ケイロニアを揺るがしにかかった。——その前に、中原の足がかり、拠点としてこのヤガと——目にみえぬ動脈のように中原に張り巡らされているミロク教徒間の絆をおのが手中にし、おのれの利用するものとすべく、ヤガに食い込みにかかった。そして、ありとあらゆる敵襲に対して何の防備もないヤガはひとたまりもなく、じんわりと内部からむしばまれて、かつてのミロク教とは似ても似つかぬ変貌をとげつつある」

「ウーム……」

「ヤンダルはキタイを率いている。軍隊もあれば、まあいま現在はいろいろと国内から、反ヤンダル・ゾッグ体制の動きが勃発しているにせよ、ともかくキタイという巨大な、世界一広大な国の王であるのだ。だがグラチウスは、たとえどれだけ魔道の力を持っていようと、ただの一介の、ひとりきりの老いたる黒魔道師にすぎぬ。——だから、グラチウスは、おのれが操れるどこかの国家を必要とするのだよ。それであれやこれやとグインに働きかけたり、パロにちょっかいを出したりする。——だがこれまでのところどれもうまくいってはいない。だからこそ、スーティ王子をおのれの傀儡とできれば、将来ゴーラをおのれの操れる強力な国家に育て、それによってヤンダルにも対抗出来るだろうと、そこまでの長期計画くらいは当然たてているだろうとわれは思うぞ。なんというにせよ、魔道師にとっての《時間》というものの意味は、一般の、須臾《しゅゆ》の間を生きる常人たちにくらべて、ずんと違うているでな。それはもっと、百倍もあるくらい長い」

イェライシャは物思わしげに云った。

「それはわれとても同じことだが——困るのは、ヤンダルもまた、東方の偉大な魔道師であるには違いない、ということだ。だから、これからの戦いは、魔道が不可欠のものになる。——グインもまた、なんらかのかたちで魔道と魔道師とを味方につけぬかぎり、たとえ当人がいかに偉大なエネルギーをもっていようと、パワーを持っていようと、それだけでは何の役にもたたぬ。ヤンダルの存在をグインは忘れさせられ、そして今度の《七人の魔道師》の事件によって、はじめて知った、というかたちになった。それが——パロの古代機械のしたことだとすると、それが何を考えてそのようにしたのか、それはわれにはよくわからぬ。これから、それについて深甚な考察を加えてみなくてはならぬところだ。だが、われの思うに——本当はグインは、すべてを忘れ去ったわけではなく、ただ、それについて思考することを古代機械——とそれをはるか遠方から操っているものによって、停止させられているだけなのかもしれぬ。グインがキタイでの冒険、そしてヤンダル・ゾッグという存在についてこれまで知っていたことをすべて思い出したならば、ただちに、グインは、このたびのサイロンを襲った災厄、そして魔道師どもによる襲撃が、ヤンダルが最終的にいま、攻撃目標をケイロニアに向けたということを意味していると知るだろう。――そうなれば、グインのことだ。当然、ケイロニアを守るべく、キタイとのあいだに大きな、長い時間かかる戦さが勃発しよう。……これはわれの想像にすぎぬが、古代機械を操ってグインの記憶を停めてしまった《もの》は、グインがそのように、長期にわたる、東方との大戦争になど、ケイロニアを――いや、中原を巻き込んで乗りだしてゆくことを、まったく望んでいないのかもしれない。《それ》はもしかして、グインをあくまでも、中原、という限定された世界における調整者、としておきたいのかもしれぬ。だが、ヤンダルという存在は――このままでゆけば、中原に対する最大の脅威とならずにはおかぬ。そしてもし――ヤンダル――つまり竜王の一族が、グインをこの世界に送り込んだ、《それ》とまっこうから対立するような存在であったとした場合――」

途中から、イェライシャは、まるきり、目の前にスカールがいることも、ブランがいることも、忘れてしまったかのように見えた。

その目はなかば閉じられ、おのれのあまりに深くひろがってゆく驚嘆すべき思惟に沈み込んでゆくかのように思われたのだ。

「おい」

スカールは眉をしかめて声をかけた。

「何をいってるのだ。お前が何を喋っているのか、途中から、俺らにはとんとわからぬことになってしまったぞ。夢でも見ているのか。それとも、それが魔道師の思考というものなのか。おい、イェライシャ。眠っているのなら目をさまさんか。そうして、俺たちをもう眠らせてくれ。朝になったら、我々はなんとかここを脱出するためにまた苦労しなくてはならぬのだ」

「おお」

スカールの声に、はっとしたようにイェライシャは半目になっていた目を見開いた。

「そうであったな。――そうか、われは、銀河のはてを透視する行《ぎょう》に入っていたわけではなかった。――われは、草原の黒太子と、イシュトヴァーンの血をひく不幸な子どもの落ち着きさきについて語っていたのであった。――なんという神秘であるのだろう、なんという驚くべき本当のありさまだろう、と思うにつけ、ついつい思考が、常人の及ぶ範囲から飛び去ってしまったのだ。すまぬな」

「それはよいが、この子をどうしたら一番いいとおぬしは思うのだな、イェライシャ？」

スカールは気を取り直して云った。

「グインに預けるのは、あまり得策ではない、というところから、この話ははじまったのだろう」

「そもそも、グインのもとにこの子がかくまわれているとなれば、それこそゴーラにケイロニアを――かつては盤石だと思われていたが、いまや疲弊しているケイロニアを攻める最大の好機だと、思わせてしまうかもしれぬ」

イェライシャは云った。そして、ひょいと二階にあがってくると、つくづくと、ぐっすりと眠っているまま目もさまさぬスーティの顔を見下ろした。

「不幸な子だ、だがまた、なんと特別な子どもだ！――そうさな、われには考えがないでもない。だが、そのためには、おぬしらにわれを徹底的に信用してもらわねばならぬ。おぬしらにそれが出来るかな。ことに、カメロンの騎士たるブラン、おぬしには」

「どういうことだ」

思わず、ブランは問い返した。

イェライシャは謎めいた微笑を浮かべた。

「あとは、この子自身のもっている運勢の強さがこの子を守る。それ以外にはないのではないか、ということだ」

ふわりと、囲炉裏の消えた煙のにおいが納屋のなかに流れた。

スカールとブランは、身じろぎもせずに、イェライシャの老いた顔を見つめている。

スーティだけが、おのれの身をめぐってどのようなことが起ころうとしているのかなど、まるで気付かぬままに、安らかに眠り続けているのだった。

栗本薫さんは、二〇〇九年五月二十六日に、お亡くなりになりました。

このグイン・サーガ百二十九巻『運命の子』は生前に書き上げられたものですが、冒頭のエピグラフ、及びあとがきは、出版直前に書かれることになっていたため、本巻には掲載することができませんでした。

ご了承ください。

早川書房編集部

神楽坂倶楽部 URL
http://homepage2.nifty.com/kaguraclub/

天狼星通信オンライン URL
http://homepage3.nifty.com/tenro

「天狼叢書」「浪漫之友」などの同人誌通販のお知らせを含む天狼プロダクションの最新情報は「天狼星通信オンライン」でご案内しています。

情報を郵送でご希望のかたは、返送先を記入し80円切手を貼った返信用封筒を同封してお問い合せください。

(受付締切などはございません)

〒152-0004　東京都目黒区鷹番1-15-13-106
㈱天狼プロダクション「情報案内」係

次世代型作家のリアル・フィクション

マルドゥック・スクランブル The First Compression——圧縮
冲方　丁

自らの存在証明を賭けて、少女バロットとネズミ型万能兵器ウフコックの闘いが始まる。

マルドゥック・スクランブル The Second Combustion——燃焼
冲方　丁

ボイルドの圧倒的暴力に敗北し、ウフコックと乖離したバロットは〝楽園〟に向かう……

マルドゥック・スクランブル The Third Exhaust——排気
冲方　丁

バロットはカードに、ウフコックは銃に全てを賭けた。喪失と安息、そして超克の完結篇

第六大陸 1
小川一水

二〇二五年、御鳥羽総建が受注したのは、工期十年、予算千五百億での月基地建設だった

第六大陸 2
小川一水

国際条約の障壁、衛星軌道上の大事故により危機に瀕した計画の命運は……。二部作完結

ダーティペア・シリーズ／高千穂遙

ダーティペアの大冒険

銀河系最強の美少女二人が巻き起こす大活躍大騒動を描いたビジュアル系スペースオペラ

ダーティペアの大逆転

鉱業惑星での事件調査のために派遣されたダーティペアがたどりついた意外な真相とは？

ダーティペアの大乱戦

惑星ドルロイで起こった高級セクソロイド殺しの犯人に迫るダーティペアが見たものは？

ダーティペアの大脱走

銀河随一のお嬢様学校で奇病発生！　ユリとケイは原因究明のために学園に潜入する。

ダーティペア　独裁者の遺産

あの、ユリとケイが帰ってきた！　ムギ誕生の秘密にせまる、ルーキー時代のエピソード

ダーティペア・シリーズ／高千穂遙

ダーティペアの大復活

ユリとケイが冷凍睡眠から目覚めたら大変なことが。宇宙の危機を救え、ダーティペア！

ダーティペアの大征服

ヒロイックファンタジーの世界を実現させたテーマパークに、ユリとケイが潜入捜査だ！

ダーティペアＦＬＡＳＨ１
天使の憂鬱

ユリとケイが邪悪な意志生命体を追って学園に潜入。大人気シリーズが新設定で新登場！

ダーティペアＦＬＡＳＨ２
天使の微笑

学園での特務任務中のユリとケイだが、恒例の修学旅行のさなか、新たな妖魔が出現する

ダーティペアＦＬＡＳＨ３
天使の悪戯

ユリとケイは、飛行訓練中に、船籍不明の戦闘機の襲撃を受け、絶体絶命の大ピンチに！

クラッシャージョウ・シリーズ／高千穂遙

連帯惑星ピザンの危機

連帯惑星で起こった反乱に隠された真相をあばくためにジョウのチームが立ち上がった！

撃滅！　宇宙海賊の罠

稀少動物の護送という依頼に、ジョウたちは海賊の襲撃を想定した陽動作戦を展開する。

銀河系最後の秘宝

巨万の富を築いた銀河系最大の富豪の秘密をめぐって「最後の秘宝」の争奪がはじまる！

暗黒邪神教の洞窟

ある少年の捜索を依頼されたジョウは、謎の組織、暗黒邪神教の本部に単身乗り込むが。

銀河帝国への野望

銀河連合首脳会議に出席する連合主席の護衛を依頼されたジョウにあらぬ犯罪の嫌疑が⁉

ハヤカワ文庫

谷　甲州の作品

惑星CB-8越冬隊
極寒の惑星CB-8で、思わぬ事件に遭遇した汎銀河人たちの活躍を描く冒険ハードSF

終わりなき索敵上下
第一次外惑星動乱終結から十一年後の異変を描く、航空宇宙軍史を集大成する一大巨篇！

遙かなり神々の座
登山家の滝沢が隊長を引き受けた登山隊の正体は、武装ゲリラだった。本格山岳冒険小説

神々の座を越えて上下
友人の窮地を知り、滝沢が目指したヒマラヤの山々には政治の罠が。迫力の山岳冒険小説

パンドラ〔全四巻〕
動物の異常行動は地球の命運を左右する凶変の前兆だった。人間の存在を問うハードSF

コミック文庫

アズマニア〔全3巻〕
吾妻ひでお

エイリアン、不条理、女子高生。ナンセンスな吾妻ワールドが満喫できる強力作品集3冊

ネオ・アズマニア〔全3巻〕
吾妻ひでお

最強の不条理、危うい美少女たち、仰天スペオペ。吾妻エッセンス凝縮の超強力作品集3冊

オリンポスのポロン〔全2巻〕
吾妻ひでお

一人前の女神めざして一所懸命修行中の少女女神ポロンだが。ドタバタ神話ファンタジー

ななこSOS〔全3巻〕
吾妻ひでお

驚異の超能力を操るすーぱーがーる、ななこのドジで健気な日常を描く美少女SFギャグ

時間を我等に
坂田靖子

時間にまつわるエピソードを自在につづった表題作他、不思議なやさしさに満ちた作品集

コミック文庫

星食い
坂田靖子
夢から覚めた夢のなかは、星だらけの世界だった！　心温まるファンタジイ・コミック集

花模様の迷路
坂田靖子
美術商マクグランが扱ういわくつきの美術品をめぐる人間ドラマ。心に残る感動の作品集

パエトーン
坂田靖子
孤独な画家と無垢な少年の交流をリリカルに描いた表題作他、禁断の愛に彩られた作品集

叔父様は死の迷惑
坂田靖子
作家志望の女の子メリィアンとデビッドおじさんのコンビが活躍するドタバタミステリ集

マーガレットとご主人の底抜け珍道中〔旅情篇〕〔望郷篇〕
坂田靖子
旅行好きのマーガレット奥さんと、あわてんぼうのご主人。しみじみと心ときめく旅日記

コミック文庫

アレックス・タイムトラベル
清原なつの

青年アレックスの時間旅行「未来より愛をこめて」など、SFファンタジー9篇を収録。

春の微熱
清原なつの

少女の、性への憧れや不安を、ロマンチックかつ残酷に描いた表題作を含む10篇を収録。

私の保健室へおいで…
清原なつの

学園の保健室には、今日も悩める青少年が訪れるのですが……表題作を含む8篇を収録。

花岡ちゃんの夏休み
清原なつの

才女の誉れ高い女子大生、花岡数子が恋を知る夏を描いた表題作など、青春ロマン7篇。

飛鳥昔語り
清原なつの

謀反の首謀者とされた有間皇子。その悲痛な心情を温かく見つめた歴史ロマン等全7篇。

コミック文庫

イティハーサ〔全7巻〕

水樹和佳子

超古代の日本を舞台に数奇な運命に導かれる少年と少女。ファンタジーコミックの最高峰

樹魔・伝説

水樹和佳子

南極で発見された巨大な植物反応の正体は？人間の絶望と希望を描いたSFコミック5篇

月虹―セレス還元―

水樹和佳子

「セレスの記憶を開放してくれ」青年の言葉の意味は？　そして少女に起こった異変は？

エリオットひとりあそび

水樹和佳子

戦争で父を失った少年エリオットの成長と青春の日々を、みずみずしいタッチで描く名作

約束の地・スノウ外伝

いしかわじゅん

シリアスな設定に先鋭的ギャグをちりばめた伝説の奇想SF漫画、豪華二本立てで登場！

著者略歴　早稲田大学文学部卒
作家　著書『さらしなにっき』『あなたとワルツを踊りたい』『遠いうねり』『謎の聖都』（以上早川書房刊）他多数

HM=Hayakawa Mystery
SF=Science Fiction
JA=Japanese Author
NV=Novel
NF=Nonfiction
FT=Fantasy

グイン・サーガ⑫⑨

運命《うんめい》の子《こ》

〈JA971〉

二〇〇九年十月 十 日　印刷
二〇〇九年十月十五日　発行

（定価はカバーに表示してあります）

著者　栗《くり》本《もと》薫《かおる》
発行者　早川浩
印刷者　大柴正明
発行所　株式会社　早川書房
郵便番号　一〇一 - 〇〇四六
東京都千代田区神田多町二ノ二
電話　〇三 - 三二五二 - 三一一一（大代表）
振替　〇〇一六〇 - 三 - 四七七九九
http://www.hayakawa-online.co.jp

乱丁・落丁本は小社制作部宛お送り下さい。
送料小社負担にてお取りかえいたします。

印刷・株式会社亨有堂印刷所　製本・大口製本印刷株式会社

ISBN978-4-15-030971-8 C0193